Amanda P. Uribe

Gloria Martínez

La casa de las veraneras y de los fantasmas

(Memorias de una bruja)

Relatos y reflexiones
Miami, Florida, Estados Unidos
2017

La casa de las veraneras y de los fantasmas
Amanda P. Uribe y Gloria Martínez.
Primera Edición: Agosto, 2017
Impreso en: Estados Unidos de América
Diseño de cubierta: Amanda P. Uribe
Imágenes de portada: Fotos compradas por Amanda P. Uribe

ISBN: 978-0-9981496-2-2

«Ésta es una obra totalmente de ficción. Los nombres, caracteres e incidentes retratados en ella son obra de la imaginación de los autores. Cualquier parecido con personajes reales, vivos o muertos, eventos o localidades es pura coincidencia».

A

La memoria de la hermosa señora de la casa de las veraneras.

Agradecimientos

A nuestra mamá no sólo por su amor e incondicionalidad de siempre, sino por contarnos sus experiencias vitales y sus luchas laborales y porque nos brindó toda la ayuda jurídica necesaria para este proyecto.

A nuestros familiares y amigos por habernos compartido anécdotas y «chismes» escuchados por ahí y que nos permitieron escribir estos relatos

Indice

Relato No. 1
Un viaje sin regreso

Hoy es 9 de diciembre del año 2004. Esta mañana tomé, en Esmeraldas, un avión de Avianca que me trajo a Bogotá y ahora estoy en una sala del aeropuerto El Dorado esperando el vuelo 009 que me llevará hasta Miami. Es el mismo viaje de otros años, pero hoy es diferente. En mi pasaporte aparece una visa que me convierte en residente de Estados Unidos y por eso me voy de Colombia para siempre.

Mientras espero la llamada para abordar el vuelo, recuerdo las palabras del poeta francés Edmond D'Haracourt «*Partir es morir un poco*» y también el modo como terminó la frase un poeta colombiano, cuyo nombre no recuerdo, «... *pero al dolor de morir se agrega otro dolor, el de quedar con vida*». Y se me ocurre pensar en la seguridad del transporte aéreo, y recuerdo que a comienzos de este año murieron en el Mar Rojo los 148 pasajeros de un vuelo y 35 más en otro accidente en los Emiratos Árabes pero, aun así, parece que los aviones son el medio de transporte más seguro. Y para dejar de pensar en los desastres aéreos, me dedico a observar a los demás viajeros y a dejar volar mi imaginación.

Acabo de cumplir sesenta años. Sesenta años son muchos años, pero la verdad es que casi no los sentí pasar por mi cuerpo, aunque sí por mi vida y mis afectos. Recuerdo a mis abuelos maternos a quienes amé; a mi papá que se fue sin siquiera un adiós; a Gloria, una compañerita, que se nos murió en un accidente de tránsito cuando apenas empezábamos el bachillerato; y, todos esos hombres, cuyos nombres apenas recuerdo, pero a quienes les debo tantos momentos felices que todavía dibujan en mi rostro una sonrisa cada vez que los recuerdo, no importa que, a veces, me hayan destrozado el corazón y de paso me hayan cobrado muy caro los minutos de amor que me regalaron.

Siempre me gustó observar a la gente, en silencio, casi subrepticiamente. Desde el colegio aprendí a mirar lo que hacía la gente, a buscar el «porqué» de las actuaciones humanas para poder hacer mi trabajo porque… soy bruja, o al menos eso es lo que dicen en mi familia.

¿Será verdad que soy bruja?

No creo, claro que «adivino» la suerte apoyándome en la Astrología y leyendo naipes, y hago hechizos y hasta «baños» para la buena suerte. Pero todo eso me parece una tontería, lo hago porque me pagan y porque hay personas que creen en esas cosas. Y lo más gracioso es que funcionan, tal como funcionan la fe en la vida de muchas personas o los placebos en medicina.

Pero de ahora en adelante las cosas van a cambiar. Atrás quedó mi trabajo, me voy y no pienso volver a Colombia o, a lo mejor sí, de vez en cuando, a saludar a mis amigos que cada vez serán menos andando por las calles y más durmiendo para siempre en el cementerio de cualquier ciudad. Lo he pensado largamente y me voy, pero no como se van la mayoría de los colombianos... dejando pedazos de corazón, para trabajar como esclavos durante cinco, diez o veinte años y luego regresar con algún dinero y mil sueños por realizar para entender, al cabo de seis meses o un año, que el país que dejaron, el país de sus sueños, sólo existe en su imaginación, y terminan por no ser ni de aquí ni de allá.

Me voy ya que mis afectos primarios, mis hijas, están en Estados Unidos y mis otros afectos van en cajas y maletas, un montón de libros que siempre quise leer, pero que nunca logré sacar el tiempo para hacerlo porque el trabajo era primero. Quiero entender y querer el país que me está acogiendo, aprender inglés y, tal vez, trabajar algún día, aunque no sé qué puede hacer una «bruja» en Estados Unidos.

No fue fácil tomar esta decisión. Empecé mirando lo desfavorable, pensando que para irme tenía que olvidar el calvario que muchos colombianos han tenido que vivir cuando salen de su tierra en busca del «sueño americano», cerrar mis oídos a la musicalidad del español, aprender a querer las calles y avenidas que se hicieron, no para la gente sino para los carros, y maravillarme ante los cielos sin nubes plenos de sol que no calienta, las mañanas oscuras y las noches largas del invierno.

Y terminé encontrando razones favorables

para irme: no tengo que olvidar pedazos de la historia de Colombia, sólo mirarla de otra manera, tal vez más adulta, porque algunos períodos sombríos de esa historia son consecuencia de los gobernantes corruptos que nosotros mismos elegimos, y de eso no es culpable ningún país extranjero porque como dijo Winston Churchill, *«cada pueblo tiene el gobierno que se merece»*. No tengo que cerrar mis ojos al maltrato de mis compatriotas en Estados Unidos, tengo que ser consciente que algunos de mis hermanos colombianos van a Estados Unidos a delinquir. No es gratuito que cuando algún gobierno empezó a «apretarle las clavijas» a los narcotraficantes y a los delincuentes de todas las calañas, ellos, al amparo de su dinero, buscaron un país grande, donde la forma de gobierno se podía prestar más fácil a la impunidad porque en lugar de un solo país, tenían «cincuenta» para ir y venir. Tampoco tengo que cerrar mis oídos a la musicalidad del español, nadie me impide hablar mi lengua materna con mis amigos y familiares, y aprendiendo el inglés tengo la posibilidad de leer, en su propio idioma, a los doce o trece estadounidenses que han sido galardonados con el premio Nobel de Literatura y, si decido trabajar, tendré el doble de posibilidades de encontrar trabajo.

Y qué tal, si además de aprender a querer las calles y avenidas que se hicieron, no para la gente sino para los carros, las disfruto. Nunca fui especialmente sociable, así que no me hacen falta calles llenas de gente como en cualquier ciudad colombiana, voy a tener hermosas calles y avenidas para mí sola. Y después del calor y el bochorno de Santiago al mediodía, qué bueno disfrutar de un día pleno de sol que no calienta, mientras me envuelvo en una ruana y me tomo un cafecito colombiano, y qué tal una mañana oscura para levantarme tarde, ¡alguna vez en la vida!, y rematar una noche larga de invierno al calor de un *«canelazo».*

Finalmente veo que las personas a mi alrededor se ponen en pie y caminan hacia la puerta de embarque, así que sin entender lo que una voz femenina dice por el altavoz, camino arrastrando un maletín de mano en el cual llevo papeles importantes y algunas joyas para mis hijas. Ya en el avión y como no estoy interesada en película alguna, tendré casi cuatro horas para recordar todo lo que dejé atrás.

Quiero a mi país y espero que ese amor sí sea para siempre, no pasajero como mis otros amores. ¿Se tratará de inconstancia, o será más bien que el patriotismo como todos los amores es también efímero? Y, ¿qué es el patriotismo? ¿Es cumplir las leyes y hacer día a día y lo mejor posible un trabajo, el trabajo que escogí y por el cual me pagaron y pude sobrevivir y educar a mis hijas? o, ¿es sentir que el corazón se acelera a los acordes del himno nacional? o, ¿al ver ondear la bandera tricolor el 20 de julio o el 7 de agosto o en cualquiera otra fiesta patria? o, ¿es revivir con nostalgia otra vez lo ya vivido?

No importa la definición que un diccionario le dé a la palabra «patriotismo», quiero cerrar los ojos y recordar el pueblo donde nací y crecí y me enamoré, mi colegio, mi familia y mis amigos. Tengo casi cuatro horas para recordar y revivir.

Finalmente llegamos a Miami. Paso por Inmigración, recojo mis maletas, me encuentro con mis hijas y después de la euforia del reencuentro, inicio mi vida en Estados Unidos.

Hoy, después de más de diez años, encuentro que organizarse en un país extranjero no es fácil, es costoso y toma tiempo. Las cosas que casi sin esfuerzo y sin pensarlo mucho hacía en Colombia todos los días, o todas las semanas, o todos los meses, aquí resultan muy complicadas porque no es cierto que en los comercios o en las oficinas públicas se encuentren funcionarios bilingües, así que cada vez que quiero hacer algo, tengo que contar con una de mis hijas para que me sirva de intérprete. Lo mismo ocurre si necesito ir al médico. Y aprender inglés tampoco es fácil, sobre todo porque ¡qué le vamos a hacer... soy perezosa! Y, como no necesito trabajar para poder vivir, pues no tengo la presión de la necesidad imperiosa para mi futuro.

Total que casi sin pensarlo y sin quererlo, seguí el itinerario de tanta gente de mi pueblo que antes que yo, había emigrado a los Estados Unidos: intenté aprender inglés, intenté trabajar, intenté asimilar la cultura estadounidense y terminé por no ser ni de aquí ni de allá. Un par de veces intenté regresar a Colombia y, como dicen en el pueblo, «ya no pegué». Hoy vivo entre dos países y trato de disfrutar lo bueno de los dos, y soy feliz porque mis hijas jamás pasaron necesidades y hoy, con orgullo, puedo decir que son mujeres de bien.

¿Y del futuro qué? Nada. Quiero descansar, leer mucho, sobre todo Filosofía, Historia y una que otra novela, y tal vez conocer otros países, y después... esperar la muerte saboreando una tacita de café o una copa de vino.

Reflexiones acerca de la Inmigración

Para García Márquez, los inmigrantes,...*no se sienten ni de aquí ni de allá. Se sienten forasteros en todas partes, y eso es peor que estar muertos.*

«El general en su laberinto»

Según Mariano Fernández, los inmigrantes, «*Somos los sin nombre, los fantasmas. Somos el destino, el origen y el sueño, la esperanza y la desesperanza. Los valientes, los intrépidos, los locos, los que hemos modelado y seguimos modelando el mundo*».1

Hoy por hoy el mundo está dividido en relación con la inmigración, casi podemos decir que para la mitad de la humanidad la inmigración es algo bueno, mientras que para la otra mitad, los inmigrantes son delincuentes

[1] FERNÁNDEZ, Mariano. Con la oscuridad. Tintanueva Ediciones, México, 2015, pag. 11.

Los políticos de los llamados países desarrollados, o del primer mundo, esgrimen razones tanto para proteger como para estigmatizar a los inmigrantes, según los primeros, la inmigración es buena porque permite el rejuvenecimiento de la población, ya que los inmigrantes son generalmente personas jóvenes y saludables y porque al regularizarse aumentan la base de los sistemas del seguro social, permiten la diversificación cultural y, muchas veces, son personas de alto nivel educativo, que permiten mayores desarrollos científicos y tecnológicos en el país que los acoge, como lo que ocurrió con los refugiados alemanes como Einstein durante la segunda guerra mundial. Y es que los inmigrantes traen nuevas costumbres, nuevas ideas y nuevas maneras de comer con alimentos, muchas veces, desconocidos.

Y quienes los satanizan dicen que los inmigrantes son una carga para los sistemas sociales y de salud, y contribuyen al desempleo de los nacionales porque aceptan menores salarios y suelen ser, en su mayoría, delincuentes y es deber de las autoridades cerrarles las puertas. Olvidan que cualquier generalización es peligrosa, el hecho de que algunos de esos inmigrantes han cometido delitos en el país de acogida, no significa que todos lo sean.

Más o menos unos 24 millones de latinoamericanos han emigrado de sus países de origen, unos 7 millones a Estados Unidos, 8 millones a Europa y el resto a otros países latinoamericanos, pero es en este año, 2017, cuando en Estados Unidos se ha satanizado abiertamente a tales inmigrantes, aunque observamos que desde fines del siglo XIX se han dictado leyes y reglamentos intentando regularizar la inmigración.

Veamos:

En los albores del siglo XX, entre 1900 y 1920, cuando los gobiernos de Estados Unidos fueron conscientes de la gran extensión de su territorio y la necesidad de dominarlo abrieron las puertas del país, y entraron unos 24 millones de inmigrantes y se hizo necesaria su regularización. Fue así como entre 1921 y 1924 se fijaron cuotas de inmigración en razón de la nacionalidad de origen.

Después de la Gran Depresión y para revitalizar la economía estadounidense, se creó un programa de legalización de los trabajadores agrícolas mexicanos, y en 1952 se dictó una ley sobre inmigración y ciudadanía, sistema que en 1965 cambió el criterio de nacionalidad por el de reunificación familiar.

En el proceso legal de Estados Unidos en relación con la inmigración es bueno recordar que en los años 60, con la llamada «ley de ajuste cubano», se consideró a los cubanos como refugiados políticos, y facilitó su entrada y legalización en el país, y por último en 1980 se dictó una ley general sobre refugiados.

Un hito importante en las normas de inmigración de Estados Unidos fue la ley de amnistía general dictada el 6 de noviembre de 1986, durante el gobierno de Ronald Reagan, mediante la cual se legalizó la situación de unos 3 millones de inmigrantes, que habían entrado al país antes del 1 de enero de 1982 y habían permanecido en él.

A partir de los años 90 se creó un sistema electrónico de visas, se reforzaron las fronteras, se aumentaron los agentes de la patrulla fronteriza, se habló de responsabilidad de los inmigrantes ilegales y se inició la construcción de un muro en la frontera con México. Y para terminar, tenemos el hecho de que durante los ocho años del gobierno de Barack Obama se deportó a unos 2.5 millones de inmigrantes indocumentados, en muchos casos separando las familias, situación que se ha ido agravando con el actual gobierno del señor Trump.

Hace unos años la National Geographic hizo una investigación de carácter mundial y concluyó que, la historia de las migraciones humanas es la historia de la humanidad misma porque si fue en África donde unos primates se convirtieron en seres humanos, y ahora hemos poblado el mundo entero, eso significa que, prácticamente, la migración está en nuestros genes.

Y es así como encontramos procesos migratorios en todas partes: desde las migraciones humanas prehistóricas en el Paleolítico, las migraciones de los pueblos asiáticos a través del estrecho de Bering, que permitieron el poblamiento de América, las migraciones forzadas de pueblos conquistados por el imperio romano, de pueblos asiáticos o europeos, como la ocupación colonial de Estados Unidos en los siglos XVII y XVIII, la migración forzada de africanos, como esclavos, por potencias europeas, hasta la migración del pueblo judío que se cuenta en el libro del Éxodo, nos están diciendo que los procesos migratorios son inherentes a la historia de la humanidad y cualquier intento por reprimirla está condenado al fracaso.

Aunque son llamativas las grandes migraciones al exterior, tal vez es más importante la migración interna del mundo rural al urbano, situación que ha permitido la creación de las ciudades modernas, pero que también ha originado problemas derivados de los cinturones de miseria que se van formando en todas esas ciudades. Y, tampoco podemos olvidar la xenofobia que ha permitido que se creen «ghettos» que confinan a los inmigrantes y permiten su exterminio sistemático como ocurrió en la Alemania Nazi, o la que hizo Estados Unidos con los japoneses durante la segunda guerra mundial.

Frente a las diversas posturas de los países en relación con la inmigración, tal vez la verdad, como siempre, está en el medio: hay inmigrantes delincuentes, puede haber rebaja salarial general, pero la verdad es que, por ejemplo en Estados Unidos y casi en todos los países, los inmigrantes delincuentes son la minoría de la población delincuente y, aunque, los inmigrantes aceptan salarios más bajos, se trata de los trabajos más duros, mal pagados y que no realizan los nacionales. De ahí la necesidad de que no se reprima «per se» la inmigración, sino que haya leyes claras que la regularicen. Es por eso que la Asamblea General de las Naciones Unidas, conscientes de la necesidad de velar por los derechos de los migrantes, decidieron proclamar el 18 de diciembre como el Día Internacional del Migrante.

Actualmente la inmigración tiene otra situación adversa, y es que a pesar que durante mucho tiempo tanto Estados Unidos como Europa se preciaban de tener una filosofía abierta a la inmigración, o que simplemente sus leyes reflejaban problemas internos del manejo de esta, ahora se encuentran ante una disyuntiva. Abrir puertas a personas realmente necesitadas o cerrarlas completamente por miedo a infiltraciones de grupos terroristas que han marcado la historia de los últimos años en una Europa típicamente pacífica y que con horror se ha visto obligada a cambiar sus políticas. Esto da lugar a que en varios países estén tomando fuerza los partidos conservadores tradicionalmente nacionalistas, enemigos de la Inmigración.

A pesar de tales nacionalismos, un ejemplo interesante de respeto a los derechos de los migrantes es Canadá, donde existen unas leyes que permiten el trabajo inmigrante itinerante.

Relato No. 2
Carmen, la bruja de Arenales

Arenales es un pueblo colombiano, situado al norte del departamento de Restrepo sobre la Cordillera Central, a una altura de 1910 metros sobre el nivel del mar, con una temperatura media, muy agradable, de 18 grados centígrados y está situado en una suave colina desde la cual se pueden ver, a lo lejos, los penachos blancos de las cumbres nevadas, así como los pueblos cercanos y los cultivos de café de las partes más bajas. En ese pueblito nació una hermosa niña a la que pusieron por nombre Carmen. Esa «hermosa» niña soy yo y, como ya dije, soy bruja. Sí, soy bruja, y no precisamente hermosa sino fea o, como se dice eufemísticamente, de una «belleza rara».

Me casé, me divorcié, tuve dos hijas, ellas sí, muy hermosas e inteligentes. Me gusta leer, tejer, escuchar música, ver televisión, caminar a la orilla del mar, tomar café en las mañanas y vino al mediodía y nada más, o al menos no sé qué más decir de mí.

Mi registro civil de nacimiento dice que soy hija de José Luis Ríos y Amparo Medina y que nací en Arenales, Departamento de Restrepo, República de Colombia. La verdad es que nací en la finca *«Monteverde»* y no conocí a mi papá porque nos abandonó cuando yo estaba recién nacida, pero don Francisco, el dueño de la finca, permitió que mi mamá siguiera viviendo en la casa grande y estuviera al tanto de todas las cuentas de la finca, trabajo que mi mamá, a pesar de no ser una mujer instruida, desempeñó con lujo de competencia, recibía un salario y al final pudo gozar de una pensión de jubilación.

Siempre vi la situación familiar como muy normal, sólo cuando crecí y fui a la escuela de la vereda me llamó la atención que, cuando la familia de don Francisco iba a pasar las vacaciones de fin de año a la finca, nosotras también teníamos vacaciones que pasábamos donde algún familiar, pero no me preocupó el asunto, y me limitaba a disfrutar de las vacaciones y de mis abuelitos que, después de vivir un tiempo en la finca de don Francisco, vivían en una casa muy linda, frente al cementerio de Arenales, a donde fui a vivir cuando empecé el bachillerato en el colegio de las monjas.

Poco a poco me enteré de los secretos familiares, ya que don Francisco era mi padre biológico, y era él quien había comprado la casa de los abuelitos y una finca para mi madre. Nunca dije nada y respeté el silencio familiar, pero después de un primer momento de desconcierto y rabia, terminé por pensar que pudo haber sido peor y que lo mejor era no pensar en el asunto. Y en cuanto a don Francisco continué tratándolo como siempre, ya que mi verdadero padre era mi abuelito Pedro.

Y en relación con mi nacimiento, muchos años después, mi mamá, medio en serio y medio en broma, me contó que en el parto la había atendido una partera ignorante que la obligó a tomar «orines» de mi papá, dizque para acelerar «los dolores» —por esa época no se hablaba de contracciones— y agilizar el parto. Es posible que los «sacrosantos miaos» [2] hubieran actuado, porque de pronto, ¡zas!, nací tan sorpresivamente, que no había una mano caritativa esperando para darme la bienvenida a este planeta y... derechito salí de la matriz —hoy decimos «útero»— de mi mamá y con todo y placenta caí debajo de la cama, casi dentro de la «mica»[3] de los «sacrosantos y medicinales miaos», y me bautizaron el día de la Virgen del Carmen, por eso me pusieron por nombre Carmen.

Mi mamá era una campesina hermosa, de estatura media, piel trigueña, ojos oscuros, cabello negro largo que siempre peinó en dos trenzas que enrollaba en la nuca, y que los fines de semana adornaba con un moño de cinta. Mi papá —el que figuraba como tal en mi registro civil de nacimiento— a quien no conocí más que por una fotografía que mi mamá guardaba en un rinconcito del baúl de la ropa limpia, era un campesino de piel un tanto oscura, cabello muy negro y rizado, ojos pequeños de mirada seria y bigote. No sé si me hubiera gustado conocerlo porque parecía alguien,

---

[2] Nombre vulgar dado en Colombia a la orina.

[3] Nombre vulgar dado en Colombia a un «vaso de noche» o vasija que se colocaba debajo de la cama y en la cual se recogía la orina en la noche porque la letrina, originalmente, y luego el cuarto de baño estaba lejos de las alcobas.

más que serio, intimidante, mientras que yo era una niña alegre y juguetona que, andando el tiempo, me convertí en una jovencita juiciosa y amante del estudio y terminé siendo una mujer más bien callada, muy observadora y consciente de mi posición en la vida y mis deberes como madre-padre de dos niñas.

Como prácticamente crecí con mis abuelitos maternos, ellos terminaron siendo muy importantes, yo diría que decisivos, en mi vida y mi educación. Recuerdo a mi abuelita Antonia, a quien llamaba «má Tonia», como una señora muy seria, no muy habladora, muy «pinchada»[4] y organizada en su aspecto personal, por ejemplo, nunca la vi con el cabello suelto, sino muy bien peinado en una moñita que recogía en la nuca con una peineta.

Y el abuelito Pedro era un personaje un tanto incongruente. Había sido arriero en sus años mozos, de esos de carriel y alpargatas, y cuando lo conocí ya era un hombre mayor que seguía usando carriel y alpargatas, y gozaba contando anécdotas de arriería, apenas si sabía leer y escribir, pero fue él quien me contó los primeros cuentos de hadas de que tuve noticia. Él hablaba mientras yo escuchaba, transportada, soñando con príncipes, princesas y castillos encantados. Claro que, también, me contaba cuentos de terror y, como toda la gente de la época, crecí convencida de la existencia del infierno, de los demonios, de brujas, de diablos especiales que tomando las más diversas formas atormentaban a los seres humanos, especialmente a los niños que no obedecían a sus padres.

---

[4] Colombianismo. Persona bien vestida y arreglada.

Todavía recuerdo con cariño las veces en que acompañé a «má Tonia» a recoger unos copos blancos que caían de un árbol y con los cuales rellenábamos las almohadas, o cuando recogíamos unas fruticas de un árbol que llamaban «el árbol del pan» para hacer tortas. Y no sólo me enseñó cosas prácticas, también a jugar, así aprendí a hacer ollitas de barro para las comitivas, en las cuales cocinaba comida, pero no comidita de mentiras para las muñecas, sino arroz con leche y dulces que luego comíamos todos.

También me enseñó a hacer juguetes con papayitas verdes a las cuales les poníamos palitos como patas y esas eran las vaquitas, con las carretas vacías de hilo hacíamos carritos, y aprendí a cocinar en fogón de leña —claro que ella decía «jogón»— y a hacer unas tortas revolviendo las semillas del árbol del pan con huevos, azúcar, harina, mantequilla y soda, mezcla que echaba en una sartén común y corriente, nada de moldes raros, sartén que ponía encima de brasas, lo tapaba y encima de la tapa ponía más brasas y así se aseguraba que la torta se cocía arriba y abajo.

La parte «brujeril» de mi educación, si nos atenemos a lo que ocurrió en la Edad Media, fue aprender la medicina familiar, tanto con mi abuelita como con mi mamá, medicina que era a base de hierbas, infusiones y emplastos. Por ejemplo, para el dolor de estómago, no importaba la causa, infusión de apio o de yerbabuena; si se trataba de un «rebote de bilis», había que sacar jugo de llantén amasando hojas muy limpias entre dos piedras; para el «rebote» de lombrices se usaba un collar de ajos, —¡como olería de mal!—, y pasado el rebote, para sacarlas, un purgante de «vermífugo nacional»; si la afección era «ceguera»

—conjuntivitis—, un parche de «cariaña» en el ombligo. La cariaña era una pomada negra que se compraba a los indios en la plaza de mercado de Esmeraldas, la capital del departamento; más tarde, con mi mamá, aprendí que era mejor coger unas flores amarillas —amapolas—, dejarlas al «sereno» en un poquito de agua y, al día siguiente, pasarse la flor por los ojos, ¡santo remedio!

El mejor de todos los remedios caseros era un frasquito con unas gotas, compradas a los indios y que se llamaba «curarina indígena», si de pronto yo tenía algún dolor, goticas de curarina indígena en «aguapanela», pero si un pollito o una gallina tenían «moquillo», —no tengo ni idea qué era eso—, má Tonia le abría el pico y le echaba unas goticas de curarina indígena y el animalito se aliviaba. Pero había algunas enfermedades muy graves, por ejemplo, el «cólico miserere», —creo que se trataba de cáncer de estómago—, caso en el cual había que llamar al sacerdote del pueblo para que le aplicara los santos óleos al enfermo porque era una enfermedad para la cual no existían medicinas.

Una muestra de la medicina de la época fue una cirugía que me hicieron cuando tenía por ahí unos cinco o seis años. Resulta que me dieron «paperas», nombre vulgar de la parotiditis, y se me «pasmaron», es decir que no respondieron a la medicina familiar, esto es, aplicaciones de «yodosilato» —otra crema negra—, unas lanitas de ovejo negro y un pañuelo alrededor del cuello. Total que me tuvieron que operar.

Recuerdo que un señor fue a la casa de la finca, me pusieron de pie en el corredor, me ataron una sábana de caucho en el cuello, el abuelito Pedro me inmovilizó y el señor me hizo un corte en el cuello, y hoy, muchos años después, todavía recuerdo como corría la sangre por el caucho y caía en el suelo. No sé en qué consistió tal cirugía, ni sé si el resultado fue bueno o malo, sólo sé que en algún momento de mi vida adulta, me detectaron un par de nódulos en el lado izquierdo de mi tiroides, nódulos que no han interferido con el funcionamiento normal de la misma, aunque el ultrasonido muestra que el lado izquierdo de la glándula es más pequeño. Es posible que fuera a causa de la cirugía y, tal vez, como estaba tan pequeña mi organismo se las arregló para que la glándula funcionara bien. Pero, eso es otro cuento del cual no vale la pena hablar.

*****

Y... ¿por qué digo que soy bruja?
Tal vez porque lo soy, ya que leo la suerte y hago hechizos. Pero además de ser bruja, he trabajado como maestra; «llevadora» de cuentas, algo así como contadora sin título; «hacedora» de declaraciones de renta y avalúos catastrales; tejedora, sobre todo de ajuares de bebé; mensajera especializada porque hacía algo parecido a lo que hoy hacen algunos correos, ya que iba a cualquier pueblo cercano de Arenales a solicitar en Notarías, Despachos Parroquiales, Juzgados o en la Registraduría del Estado Civil, documentos tales como registros civiles de nacimiento, defunción o matrimonio, partidas de bautismo, copias de procesos, etc.; además fui citadora y escribiente, primero en la Inspección de

Policía y luego en el Juzgado Promiscuo Municipal de Arenales; y, por la época electoral, supernumeraria de la Registraduría, haciendo inscripciones de cédulas en las veredas del pueblo.

Y hablando de todos los trabajos que desempeñé, recuerdo *«La tragicomedia de Calixto y Melibea»* de don Fernando de Rojas porque Celestina tenía seis oficios, ya que era *«labrandera, perfumera, maestra de hacer afeites y de hacer virgos, alcahueta y un poquito hechicera»*. Me llama la atención que con seis oficios a cual más interesante y que hoy diríamos: agricultora, química, esteticista, cirujana plástica, alcahueta y hechicera, mundialmente se la conoce sólo como «alcahueta», tanto que dicha obra literaria es conocida como *«La Celestina»*, y su nombre es sinónimo de alcahueta en el lenguaje común. ¿Será porque era mujer?

Pero, ¿será verdad que soy bruja?

Depende lo que se entienda por bruja. Tal vez el cura del pueblo, a semejanza de los sacerdotes católicos de la Edad Media, pueda decir si cumplo las señales que presentaban las brujas y, en tal caso, darle gracias a la vida por vivir en el siglo XX o XXI y no en el siglo XV porque lo más seguro es que no estaría contando el cuento, ya que me habrían quemado viva hace rato, así que dudo que en realidad sea bruja y si lo soy, celebro que por vivir en esta época me escapé de la hoguera.

Al margen de disquisiciones filosóficas, literarias o históricas, puedo decir que me gustaron todos los trabajos que desempeñé a lo largo de mis sesenta años, y me siento agradecida con la vida y con mi suerte porque pude vivir y educar a mis hijas, y ahora ellas me pueden ayudar porque no quieren que siga trabajando, así que pienso dedicarme a hacer todo lo que siempre quise hacer: leer, escribir, tejer, ver televisión y, tal vez, conocer otros países.

Y, ¿cómo me hice bruja?

Todo empezó como jugando. Vi a una señora, con una baraja española en la mano, leyéndole la suerte a una vecina de la casa de mis abuelitos, y vi qué valor le daba a los oros, las copas, las espadas y los bastos, luego le robé unas cartas a mi abuelito y empecé a leerles la suerte a mis compañeras del colegio. Todo fue relativamente fácil porque yo las conocía, sabía de sus problemas y sus deseos y les decía lo que me parecía lógico, y algunas veces acertaba. Ellas y yo veíamos los aciertos y hacíamos la vista gorda, cuando mis predicciones no resultaban.

Con el tiempo perfeccioné mi técnica, estudié Astrología o al menos los rudimentos de la Astrología con Mauricio Puerta Restrepo en la Universidad *«Vesta»* de Cali, leí acerca de los hechizos que hacen los brujos y al escondido de las monjas del colegio, seguí leyendo la suerte de mis compañeras y terminé como la bruja del pueblo. Muchas personas me buscaban, y aprendí a leer entre líneas, a escuchar los chismes que iban y venían, a estar al tanto de las noticias y cuando trabajaba en la Inspección de Policía, en el Juzgado, o en la Registraduría del Estado Civil del pueblo, memorizaba cuanta cosa oía que me podía servir para «leer la suerte» y «predecir» el futuro de mis clientes. Finalmente me dediqué sólo a la «brujería» porque era el trabajo con el que más plata ganaba.

Pero lo cierto es que nunca me imaginé que era bruja, hasta un buen día, domingo por más señas, cuando en la misa de las 11, el padre José Antonio Herrera Hoyos —padre HH—, dedicó el sermón a condenar las artes adivinatorias, recuerdo que dijo: «... cómo así que "Leyendo las estrellas" con fulanita de tal», y a esa altura del sermón no me quedaron dudas, se estaba refiriendo a mí y a unas tarjeticas de presentación que le había entregado a algunas personas del pueblo cuando abrí mi oficina de astróloga aficionada, así que cambié las tarjetas y continué atendiendo a mis clientes en secreto y a puerta cerrada.

Todavía recuerdo a muchos de mis clientes, a Leonor, una amiga que con mi ayuda «brujeril» terminó siendo abogada; a Juliana la reina cívica; a Álvaro el mejor partido del pueblo; a Magda que por azares del destino terminó acusada de haber asesinado a la mamá, y tantas y tantos cuyos nombres se me escapan pero cuyas cartas natales conservo en mi archivo personal.

Por supuesto que mi primer cliente fui yo misma, levanté mi carta natal más por curiosidad que por creer en la Astrología. Soy Acuario, tengo cinco planetas retrógrados que parecen hacer de mí una persona rara y misteriosa, con aptitudes para la Astrología; me interesa el bienestar de mi familia y el compañero que las estrellas me tenían destinado era un Leo o un Virgo, pero terminé casándome con Enrique Salazar Torres, un Aries «mala-gente» a quien conocí cuando me desempeñaba como citadora en el Juzgado del pueblo; Géminis en la casa 5 de los hijos, presagiaba que sería madre de mellizos o, padre y madre al mismo tiempo. Y así fue porque Claudia y Sandra, mis hijas, son mellizas y el padre de ellas brilló por su ausencia.

Me enamoré y contraje matrimonio el 9 de febrero de 1964, sin darle ni cinco de importancia a las circunstancias astrológicas de estar en año bisiesto, de que Saturno, considerado «el Gran Maléfico» por la Astrología clásica, transitara por encima de mi signo solar, y que los aspectos que presentaba mi casa 7 —de la pareja— no fueran favorables. Peores augurios astrológicos, imposible, así que no es raro que el matrimonio hubiera durado exactamente seis meses, lo suficiente para quedar en embarazo y para que Enrique se desencantara de mí porque creyó que yo era de familia rica y cuando se enteró que no existían fincas, sino una finquita que apenas sí daba para comer, y que la casa grande y bonita, lo era porque estaba situada frente al cementerio, donde a la gente le daba miedo vivir, por los supuestos «fantasmas» que merodeaban por el lugar, se sintió estafado y un buen día desapareció, igual que había ocurrido con mi «papá oficial».

*****

Pasó mucho tiempo antes de que yo tuviera noticias de Enrique, hasta cuando, un buen día, apareció en el pueblo, diciéndome que necesitaba que le firmara una escritura de separación de bienes. En ese momento yo ya sabía lo que significaba dicha diligencia y, por supuesto, que no tuve ningún inconveniente en firmar el documento. Más adelante me separé legalmente mediante un proceso de «cesación de los efectos civiles de matrimonio católico» y fin del cuento. Después de semejante descalabro matrimonial, no volví a casarme, me gradué tardíamente como abogada, viví en Arenales hasta el 2004 cuando viajé a Estados Unidos y aquí estoy «leyendo, tejiendo, escuchando música, caminando a la orilla del mar, tomando café en las mañanas y vino al mediodía».

¿Y qué pasó con Enrique?.

Como dice aquel dicho árabe, «*Me sentaré a la puerta de mi tienda para ver pasar el cadáver de mi enemigo*». Tal cual, por mis hijas supe que la vida o la mala vida se la cobró a Enrique, quien murió por un problema pulmonar, sin dinero y con muchos problemas. Lo siento por mis hijas, al fin y al cabo él me ayudó a tener lo más importante de mi vida... ellas.

Reflexiones acerca de la Astrología

Según el Diccionario Larouse (edición 2005), la Astrología «*es un arte adivinatorio que consiste en determinar la influencia de los astros sobre el curso de los acontecimientos terrestres, y en hacer predicciones sobre el futuro*».

A mi modo de ver y a pesar de las definiciones que se han dado, no creo que la Astrología sea una ciencia, tampoco un arte y mucho menos, una técnica adivinatoria. Puede ser una doctrina que toma algunas cosas de la ciencia y de la tecnología modernas para hacer dictámenes, que les sirven a algunas personas para aclarar puntos oscuros de su personalidad y, tal vez, hacer predicciones sobre su futuro, predicciones que según comprobaciones estadísticas hechas han alcanzado hasta un 10% de acierto, es decir, **el mismo número de aciertos que se esperaría por azar.**

El método científico moderno tiene como componentes básicos: la experimentación; la formulación de leyes o modelos de comportamiento de los resultados experimentales; la formulación de una teoría; y, la capacidad predictiva de la teoría. Ninguno de estos componentes aparece en la Astrología, a pesar de los esfuerzos de algunos astrólogos modernos, luego hay que concluir que la Astrología no es una ciencia. Tampoco me parece que pueda afirmarse que es arte, porque habría que estirar mucho el concepto de arte para concluir que la Astrología produce algún efecto estético. Y, al menos en el mundo moderno, tampoco puede afirmarse que es un sistema de adivinación porque hoy los astrólogos no hablan de «predicciones» sino de «tendencias».

Y para aceptar la definición de Astrología, habría que demostrar primero la influencia de los astros sobre todos los seres y los acontecimientos humanos, cosa que no se ha hecho. No descarto esa influencia porque, si la vida en la Tierra depende del Sol, bien podrían existir otras influencias planetarias que aún no se conocen y de las cuales hablan tesis científicas modernas como la de la conservación y transmisión de la energía, la existencia de la materia oscura o el «efecto mariposa» que, si bien es un concepto difícil de entender para quienes no estamos familiarizados con dichos temas, podríamos decir en palabras sencillas que, en determinadas circunstancias, pequeños cambios pueden generar grandes efectos. Hoy la Astrología se parece más a la Psicología en cuanto estudia los seres humanos y trata de predecir su comportamiento frente a determinados estímulos.

Históricamente se dice que la Astronomía está emparentada con la Astrología, y parece ser que así fue porque los primeros astrónomos eran también astrólogos, pero si una parte muy importante de la Astrología tiene que ver con las Mitologías antiguas, parece más bien que la Astrología tiene relación con las religiones porque, a falta de una explicación científica, los seres humanos divinizaron las fuerzas de la naturaleza, empezando por los cuerpos celestes que les causaban alegría, seguridad, temor y dudas, luego, en el mejor de los casos, la Astrología nació como una forma de religión y se transformó en un sistema de análisis psicológico con base en modelos iniciados en los albores de la humanidad, que se fueron transformando y perfeccionando a medida que los seres humanos tuvieron más conciencia de sí, de sus reacciones y de sus posibles actuaciones, individuales y colectivas.

En el mundo Occidental, la Astrología, cuya época dorada tuvo lugar en el siglo XVI con astrólogos como Nostradamus, proviene de los caldeos y de los hindúes. Existe, también, la Astrología China usada desde hace milenios y una Astrología Azteca muy desarrollada. Y hoy, casi todo el mundo sabe cuál es su signo zodiacal, pero no siempre fue así porque, en un principio, la Astrología sólo era usada por reyes y gobernantes para saber qué le deparaba el destino, tanto al monarca como al país que gobernaba.

Todos sabemos por la Astronomía, que el sistema solar se ubica en un extremo de la Vía Láctea, y consta de una estrella central que es el Sol y unos planetas —algunos con lunas o satélites— que giran a su alrededor, en órbitas más o menos circulares que se mueven dentro de una zona de la esfera celeste llamada zodiaco, que se extiende a 8.5° a uno y otro lado de la eclíptica o círculo de la esfera celeste por donde se mueve la Tierra en su movimiento alrededor del Sol.

La Astrología estudia el Sol, la Luna y los demás planetas del sistema solar tal como los ve un habitante de la Tierra, esto es, como si ésta estuviera en el centro de una circunferencia y tanto el Sol, como la Luna y los demás planetas estuvieran girando a su alrededor.

Por eso, lo primero que hacen los astrólogos para estudiar una persona y tal vez «adivinar» qué le traerá el futuro, es dibujar un círculo, alrededor señalan los doce grupos de estrellas que son las constelaciones conocidas como Aries, Tauro, Géminis, Cáncer, Leo, Virgo, Libra, Escorpión, Sagitario, Capricornio, Acuario y Piscis, y en el centro del círculo, con ayuda de unas Efemérides Astrológicas [5] y cálculos geométricos y trigonométricos, ubican el Sol, la Luna y los demás planetas tal como se ven desde la Tierra. Ese círculo con los planetas dentro y los grupos de estrellas alrededor, es lo que se conoce como carta astral o carta natal porque se toman las posiciones planetarias del día del nacimiento de una persona, y los relaciona, no sólo con los grupos de estrellas que le sirven de telón de fondo al Sistema Solar, sino con los diferentes sectores de la vida humana.

Los planetas que, astrológicamente, simbolizan fuerzas son: el Sol, la Luna, Mercurio, Venus, Marte, Júpiter, Saturno, Urano, Neptuno, Plutón y, modernamente, Quirón. El Sol representa el yo profundo; la Luna, el yo afectivo; Mercurio, el

---

[5] Las Efemérides Astrológicas son un libro que recoge las posiciones planetarias día a día.

intelecto y la manera de comunicarse; Venus, el amor; Marte, la fuerza y la decisión; Júpiter, la sociabilidad; Saturno [6], la voluntad; Urano, la originalidad; Neptuno, la espiritualidad; Plutón, la auto-superación; y, Quirón, el dolor y la maestría.

Los grupos de estrellas que le sirven de telón de fondo al sistema solar son los signos del zodíaco, en los cuales los seres humanos creyeron ver figuras que se formaban con las estrellas, por ejemplo, un carnero, un toro, un par de gemelos, un león, una virgen, una balanza, un escorpión, una flecha, una cabra, un hombre con una tinaja de la cual sale agua o un par de peces, y los llamaron Aries, Tauro, Géminis, Leo, Virgo, Libra, Escorpión, Sagitario, Capricornio, Acuario y Piscis [7]. Astrológicamente son la manera cómo actúan los planetas o, por decirlo gráficamente, según Mauricio Puerta Restrepo —astrólogo colombiano—, el «vestido» que usan las fuerzas planetarias. De ahí que el Sol no actúa de la misma forma si está en Aries que si está en Tauro o en cualquiera otro signo. Y esos signos están relacionados con los diferentes mitos griegos y latinos, que no son otra cosa que tratados acerca de la psicología humana. Por eso Aries se relaciona con Marte, dios de la guerra de los romanos, Venus con la diosa de la belleza y del amor, Mercurio con el dios de las comunicaciones y del comercio, Júpiter con el padre de los dioses del Olimpo, etc., mitos que ayudan a los astrólogos a definir las características de los signos. Y los

---

[6] Es necesario aclarar que Saturno, según la Astrología clásica es el Gran Maléfico y representa la muerte.

[7] También entre los signos hay algunos que tienen mala fama en la Astrología clásica como Escorpión.

diferentes sectores de la vida humana son la personalidad, los bienes, los hermanos, el hogar, los hijos, el trabajo y la salud, la pareja, el extranjero, la fama, las amistades, el inconsciente, que son la materia prima de las llamadas casas astrológicas.

Muy importante en un análisis astrológico son los grados de separación entre los diversos cuerpos celestes y que reciben el nombre de **aspectos,** y los principales son: la conjunción, que tiene lugar cuando los planetas están muy cerca uno del otro, esa cercanía es de 0° y persiste hasta los 10°. Cuando en una conjunción aparecen más de dos planetas, estamos en presencia de un «stellium», caso en el cual, según la afinidad de los planetas involucrados, sus efectos se potencian o se anulan. La oposición se da cuando los planetas están a 180° uno del otro, caso en el cual hay tensión porque un planeta no deja actuar al otro y a veces se anulan. La semicuadratura, 45° de separación, y la cuadratura, 90° no son aspectos buenos, es más, la cuadratura es, según la Astrología clásica, el peor aspecto. El semisextil, 30° de separación, el sextil, 60° y el trígono, 120° son los mejores aspectos. Existen algunos aspectos menores que sólo se consideran si son exactos y el horóscopo es muy pobre en los demás aspectos.

Y, por último, para determinar tendencias actuales, con la ayuda de las tablas astronómicas que se encuentran en el libro de Efemérides, se relaciona la posición de los planetas en el momento del nacimiento con la posición de los astros en un momento cualquiera de la vida de esa persona.

Lo dicho en los párrafos anteriores tiene que ver con la teoría de la Astrología y la manera como trabajan los astrólogos, pero una de las razones por las cuales se la suele tachar de anticientífica parte de hechos científicamente probados, y que la Astrología ignora por completo o no sabe cómo explicar.

El primero es el movimiento de precesión de los equinoccios que consiste, según el Diccionario Larouse en un «*movimiento rotatorio retrógrado del eje de la tierra alrededor del polo de la eclíptica, que produce un movimiento gradual de los equinoccios hacia el oeste*». Ese movimiento da lugar al «gran año» que dura 26.000 años terrestres, eso significa que, más o menos, cada 2.000 años los signos cambian, dando lugar a un problema que los astrólogos no han explicado porque, por ejemplo, el signo Piscis de la época de los romanos es hoy el signo Acuario, lo cual cambia la teoría astrológica, ya que un Piscis no es en realidad Piscis sino Acuario porque en 2.000 años los equinoccios se movieron un signo hacia el oeste.

Tampoco han logrado explicar los astrólogos cómo actúan los astros sobre los seres humanos. Científicamente está probado que un cuerpo actúa sobre otro gracias a la fuerza de gravedad, a la fuerza electromagnética o, a la fuerza atómica fuerte o a la fuerza atómica débil, fuerzas que es imposible que actúen, por ejemplo, sobre un bebé que acaba de nacer, por el poco peso del bebé y la gran distancia del mismo a cualquier astro. Pero como digo al principio de esta reflexión, es posible que en un futuro, la ciencia le dé algún asidero a la Astrología y descubra la manera como los planetas y demás cuerpos celestes del sistema solar pueden actuar sobre los seres humanos, de la misma manera que el Sol es el origen de la vida en la Tierra a pesar de la gran distancia que los separa.

No obstante los problemas científicos de que adolece la Astrología, llama poderosamente la atención el hecho de que hoy está más viva que en el siglo XVI. En alguna encuesta hecha en Estados Unidos se comprobó que más o menos la mitad de la población cree que la Astrología es una ciencia, sabe cuál es su signo zodiacal y diariamente lee en el periódico, escucha en la radio o ve en la televisión qué le deparan los astros para ese día, y quién no recuerda el escándalo ocurrido durante el gobierno de Ronald Reagan, ya que se decía que detrás de las decisiones presidenciales estaba el «dictamen» de una astróloga.

En la figura #1 aparecen los símbolos usados comúnmente en Astrología. En la figura #2 aparecen los símbolos de los aspectos o grados de separación entre los planetas así como el orbe o sea el número de grados dentro de los cuales persiste el aspecto. En la figura #3 aparecen los planetas que tienen una significación astrológica. En la figura #4 los signos usados en Astrología. En las figuras #5, 6, 7 y 8 aparecen los planetas, los signos, las casas y su significación

Para saber cuánta cantidad de fuego, tierra, aire o agua tiene una persona, se suman los planetas en cada signo, teniendo en cuenta que el Sol, la Luna, Mercurio y el Ascendente, por ser muy importantes tienen cada uno un valor de 2, mientras que los demás planetas valen 1.

Signos	Planetas	Puntos y líneas
Aries ♈	Sol ☉	Ascendente **As**
Tauro ♉	Luna ☾	Descendente **Ds**
Géminis ♊	Mercurio ☿	Medio cielo **Mc**
Cáncer ♋	Venus ♀	Fondo del cielo **Fc**
Leo ♌	Marte ♂	Nódulo Lunar N ☊
Virgo ♍	Júpiter ♃	Nódulo Lunar S ☋
Libra ♎	Saturno ♄	Luna Negra ⚸
Escorpión ♏	Urano ♅	Rueda/Fortuna ⊗
Sagitario ♐	Neptuno ♆	
Capricornio ♑	Plutón ♇	
Acuario ♒	Quirón ⚷	
Piscis ♓		

Figura # 1. Símbolos usados en Astrología

Aspecto	Grados/Orbe*	Valor
Conjunción ☌	00°/10°	Variable
Semisextil ⚺	30°/3°	Poco/Favorable
Sextil ⚹	60°/6°	Favorable
Semicuadratura ■	45°/3°	Algo/desfavorable
Cuadratura □	90°/10°	Muy desfavorable
Trigono Δ	120°/10°	Muy favorable
Sesquicuadratura ⚼	135°/3°	Algo desfavorable
Quincuncio ⚻	150°/3°	Variable
Oposición ☍	180°/10°	Desfavorable
Quintil Q	72°/1°	Poco favorable
Biquintil bQ	144°/1°	Poco favorable

Figura #2. Aspectos Astrológicos o relación entre los planetas

	Significación	Clave
☉	Esencia/individualidad/yo	Yo profundo
☾	Psiquis/maternidad/hogar	Yo afectivo
☿	Intelecto/comunicaciones	Inteligencia
♀	Afecto/belleza/armonía/moda	Amor
♂	Acción/decisión/agresividad	Decisión
♃	Jovialid/fama/creencias/extranj.	Sociabilidad
♄	Voluntad/concentrac/madurez	Voluntad
♅	Universalidad/rebeldía/liberdad	Originalidad
♆	Espiritualidad/soledad/sacrificio	Espiritualidad
♇	Transformación/destrucción	Autosuperación
⚷	El dolor y la maestría	«El dolor»

Figura # 3. Símbolos y significados de los planetas

Signos	Elemento	Cualidad	Intereses
Aries	Fuego	Cardinal	Personales
Tauro	Tierra	Fijo	Personales
Géminis	Aire	Mutable	Personales
Cáncer	Agua	Cardinal	Hogareños
Leo	Fuego	Fijo	Hogareños
Virgo	Tierra	Mutable	Hogareños
Libra	Aire	Cardinal	Sociales
Escorpión	Agua	Fijo	Sociales
Sagitario	Fuego	Mutable	Sociales
Capricornio	Tierra	Cardinal	Trascendentales
Acuario	Aire	Fijo	Trascendentales
Piscis	Agua	Mutable	Trascendentales

Figura # 4. Signos usados en Astrología.

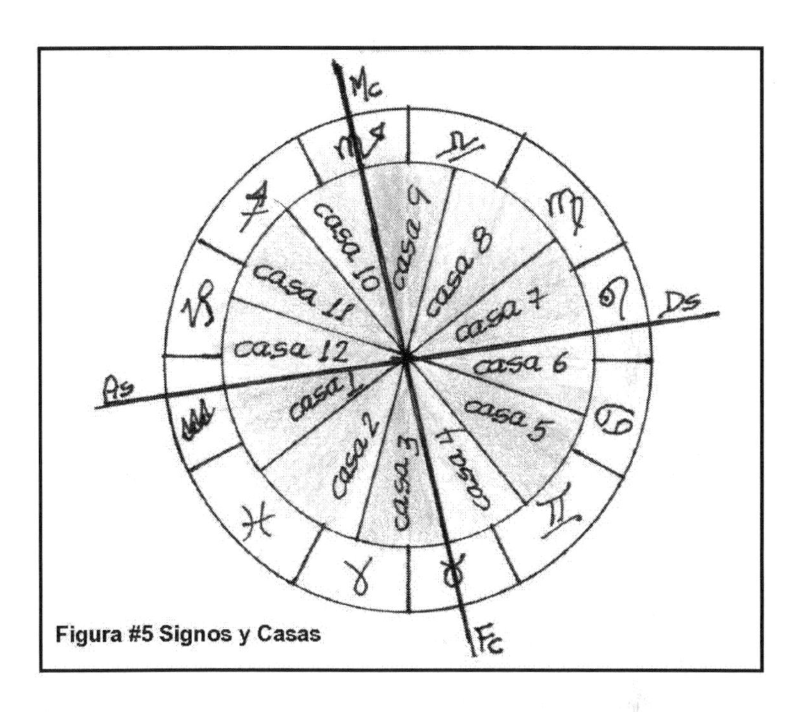

Figura #5 Signos y Casas

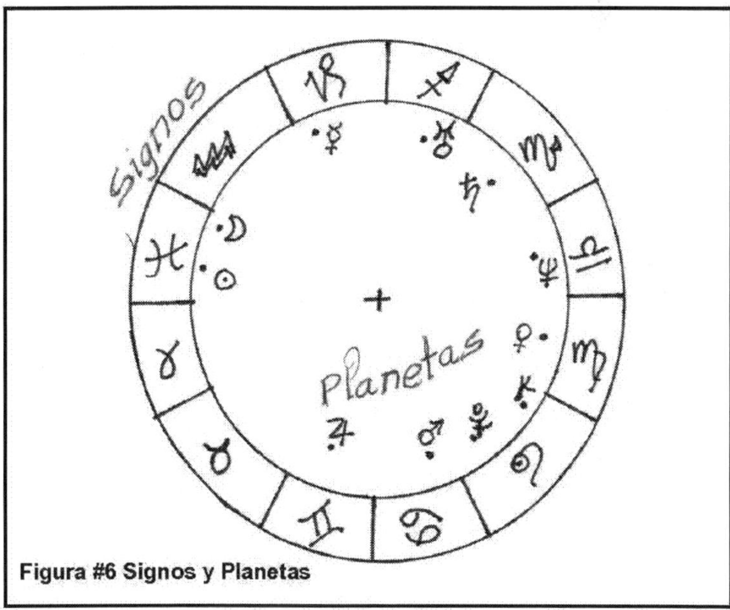

Figura #6 Signos y Planetas

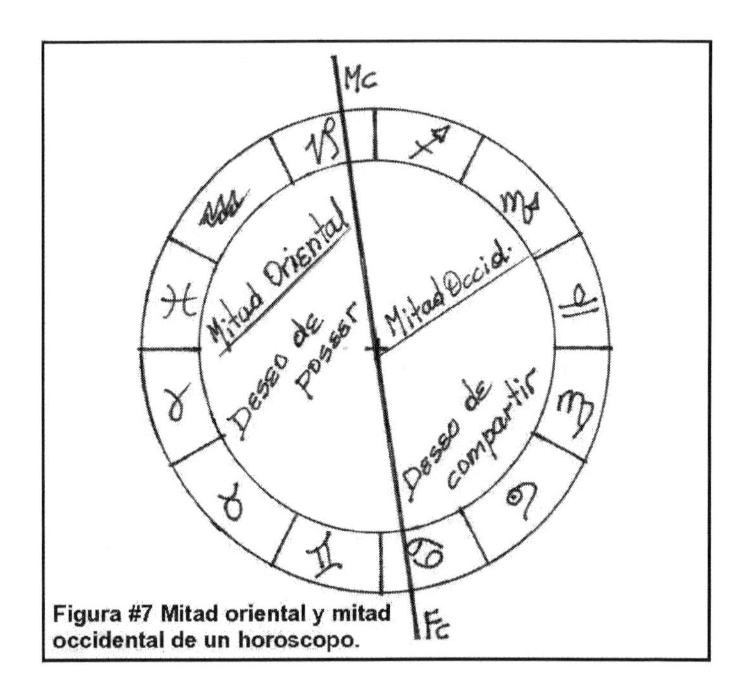

Figura #7 Mitad oriental y mitad occidental de un horoscopo.

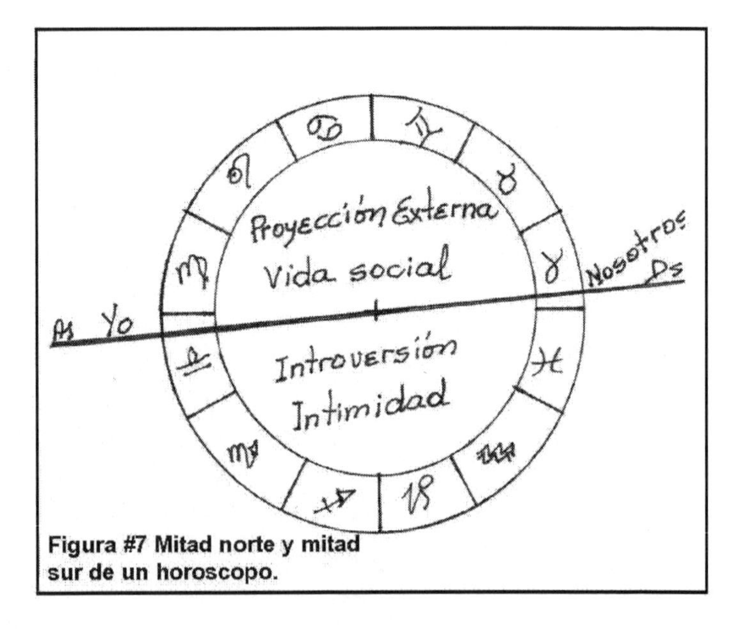

Figura #7 Mitad norte y mitad sur de un horoscopo.

Relato No.3

La casa de las veraneras y de los fantasmas

En el Arenales de mis recuerdos era muy fácil distinguir a «la gente bien» porque era la que tenía dos apellidos, vivía en el marco de la plaza o en la calle del Colegio y tenía una o dos muchachas del servicio. Y era allí, en la calle del Colegio, donde había una casa de estilo colonial de dos plantas y adonde llegó a vivir una familia que huyendo de «la violencia», había salido de un pueblo del Tolima, y luego de vivir un tiempo en un pueblo de Caldas, había terminado viviendo en Arenales.

En el pueblo terminaron bautizando esa casa como «la casa de las veraneras» por las hermosas veraneras que adornaban el balcón aunque, para mí, era «la casa de las veraneras y de los fantasmas», porque allí los espíritus de los muertos interactuaban con los vivos. La familia estaba formada por los esposos, don Valeriano

Marín Segura y doña Julia Álvarez Ortiz, 13 hijos, 10 mujeres: Leonor, Juliana, Mariana, Berta, Mélida, Isabel, Pilar, Victoria, Raquel y Constanza y 3 hombres: Guillermo, Valeriano y Jacobo; la abuelita materna, doña Julia vda. de Álvarez y, como si fuera poco, una nietecita de nombre Juliana, por eso, a veces, en el pueblo, llamaban a esa casa también como «la casa de las Julias». Andando el tiempo me hice amiga y confidente de Leonor, la hija mayor, que terminó siendo abogada y me ayudó a conseguir trabajo como citadora en el Juzgado del pueblo, y gracias a esa amistad, terminé por enterarme de muchos chismes familiares.

Don Valeriano y doña Julia habían nacido y vivido su juventud entre las dos guerras mundiales, pero hasta sus vidas apenas sí llegaron ecos lejanos de las mismas, eso sí, se supo que en 1917 había terminado la Gran Guerra, que la Virgen María se les había aparecido a tres pastorcitos en Fátima, Portugal, y que la hermosa bailarina Mata Hari había sido condenada a muerte acusada de espionaje. Más al tanto estaban de los aconteceres políticos nacionales con las consabidas disputas entre liberales y conservadores, pero hasta los orígenes de esas disputas políticas estaban enrarecidos y, según decía doña Julia, el asunto venía desde las diferencias políticas entre Bolívar y Santander que habían dado origen a los dos partidos tradicionales, y los conflictos del momento se debían, según ella, a posiciones filosóficas y doctrinales. Nunca dije nada, pero siempre creí que las diferencias entre los grupos políticos eran, ante todo, económicas y por la tenencia de la tierra.

Don Valeriano había nacido un lunes, día de San Constancio, San Sulpicio y San Valerio cuando el Sol andaba por los 9° 15' de Acuario y siempre hizo honor a su signo zodiacal, fijo, auto-motivado y con intereses sociales y trascendentales. Hijo de campesinos y amante del campo, no es raro que estudiara Agricultura y hubiera trabajado, primero con el Ministerio de Agricultura y luego con la Caja de Crédito Agrario, Industrial y Minero, hoy Banco Agrario. Y fue así como conoció a doña Julia, mientras trabajaba con el Ministerio de Agricultura en un pueblo del Valle del Cauca, de donde ella era oriunda. Se casaron, vivieron en varios pueblos del Tolima y Caldas y finalmente en Arenales donde fueron una familia muy querida por todos, ya que don Valeriano era un hombre muy cívico, ayudaba a las monjas del colegio, al «padre HH», fue la persona que logró con Bienestar Familiar la fundación de la Guardería para los niños, fue miembro destacado del Comité de Cafeteros y, finalmente, Concejal.

Por su parte, doña Julia era una hermosa señora, muy de la casa y entregada al cuidado de su numerosa familia. Había nacido un jueves, día de San Apolonio, San Silvano y de la Beata María Gertrudis cuando el Sol andaba por los 17° 52' de Cáncer, signo que igualmente se elevaba en el horizonte a los 18° 7', Cáncer como signo solar y como Ascendente hacían de doña Julia una mujer ante todo madre, y así fue durante toda su vida. Sus hijos fueron su razón de ser, cualquier sacrificio era pequeño si redundaba en favor de alguno de ellos, pero también era temerosa de Dios y creía en fantasmas, aparecidos y en la existencia del infierno tal como lo describían los sacerdotes de entonces, siguiendo preceptos ancestrales que, al parecer, se iniciaron con Dante y su «*Divina Comedia*».

Con la familia vivió por un tiempo la abuelita Julia, una persona encantadora que, luego, se fue a vivir en una casita frente al Colegio Oficial. Era una persona muy juiciosa, la casita relucía como una tacita de plata, y hacía unos dulces deliciosos que reservaba para los nietos que estudiaban en el colegio, y que en los recreos se «volaban» a tomar las «medias nueves»[8] o el «algo» a la casa de la abuelita.

Por mi amistad con Leonor me enteré de algunos hechos graciosos y todo lo relacionado con los fantasmas que desde años atrás acompañaban a la familia. Fue así como me enteré que tan pronto contrajeron matrimonio don Valeriano y doña Julia se fueron a vivir en San Luis, Departamento del Tolima, concretamente en la finca «El Recreo» donde a mediados de 1943 nació Leonor, claro que don Valeriano, como todos los patriarcas de la época, deseaba tener muchos hijos varones o que, al menos, su hijo mayor fuera varón, pero para su tristeza, no sólo su primer hijo fue una mujer, también el segundo y el tercero, Juliana y Mariana y, cuando, prácticamente, había perdido las esperanzas de que su apellido pasara a la siguiente generación[9], para su inmenso orgullo, nació Guillermo.

Después nacieron Berta, Valeriano, Mélida, Isabel, Pilar, Jacobo, Victoria, Raquel y Constanza. Don Valeriano siempre se sintió muy contento y orgulloso de sus tres hijos varones y muy

---

[8] Las medias-nueves son una especie de tentempié que se toma a media mañana, mientras el algo, onces o entredía se toma a media tarde.

[9] En Colombia se acostumbra que las personas utilicen dos apellidos, primero el apellido del papá y enseguida el apellido de la mamá.

tardíamente de sus hijas, y tanto él como doña Julia y como todos los padres y madres de la época, tenían dos clases de reglas, una muy drástica para las hijas y otra más suave para los hijos. No obstante lo cual, hacia el final de su vida, con la sabiduría que dan los años y las experiencias vitales, doña Julia se atrevió a decir que, *«si yo hubiera sabido lo que ahora sé de la vida, con gusto hubiera cambiado los tres hijos que tuve por otras diez hijas».*

Si bien doña Julia estaba enamorada y contenta de haberse casado y tener una familia propia, no fue fácil adaptarse a su nueva vida, no sólo estaba muy lejos de su familia , sino que hubo un cambio radical en su entorno físico toda vez que ella había vivido en una finca de ganado en la vereda Barragán en el Valle del Cauca, mientras que «El Recreo» era una finca cafetera con árboles de café y sombrío de guamos hasta muy cerca de la casa, árboles que, sobre todo en las noches y las madrugadas proyectaban sombras fantasmales y amenazantes que llenaban de pavor a la joven esposa. Fue así como una noche, cuando ya todo el mundo dormía, creyó oír una voz que llamaba a don Valeriano y despertó asustada y, en medio de la irrealidad de la noche, quedó convencida que quien llamaba era el «diablo», que pretendía llevarse al esposo, en cuerpo y alma, para el infierno, al menos así le contó el episodio a Leonor, muchos años después.

Y es que doña Julia había nacido y crecido en un mundo mágico-religioso, un mundo en el cual los sacerdotes católicos mandaban y los fieles obedecían como borregos, un mundo donde las almas de los muertos interactuaban con los vivos hasta el punto en que los límites de la realidad se tornaban imprecisos. La vida, por aquellas épocas y por esas latitudes, transcurría entre el trabajo desde el amanecer hasta el atardecer, el rezo del rosario al finalizar el día, y las reuniones en la cocina, alrededor de la estufa, para comentar los últimos chismes y asustar a los niños con cuentos de fantasmas y aparecidos. Y, tal vez, para contrarrestar, en algo, el terror de vivir perseguidos por los fantasmas de los muertos y los demonios que buscaban llevarse a todos los seres humanos, en cuerpo y alma, a las «pailas»[10] del infierno, los curas en la Iglesia y las mamás en la cocina o en el lavadero, hablaban de la bondad de Dios y de los ángeles de la guarda. Rememorando la historia familiar, Leonor me contaba que muchas veces, cuando doña Julia era niña y en medio de la oscuridad de la noche se despertaba asustada, creía ver al angelito de la guarda que la cuidaba, sentado al borde de la cama, y se dormía nuevamente, ya sin susto.

Los muertos se comunicaban con los vivos de muchas maneras, una cuchara que de pronto se caía de la mesa sin que nadie la tocara, era una señal; los muertos se aparecían en sueños para dar mensajes o anunciar algo, generalmente una desgracia; el canto de un ave, otra señal, generalmente de muerte. Doña Julia aseguraba que si en la noche se escuchaba el canto de un «currucao»[11] era porque alguien moriría; un trueno con el correspondiente relámpago en medio de un cielo sin nubes, era una señal de cosas espantosas.

No es de extrañar que una noche, antes de

---

[10] Sartén o cazuela grande.

[11] Los campesinos tolimenses llaman así a los buhos.

encorar el rosario, la abuelita Julia dijera solemnemente: *«Merceditas acaba de morir, vamos a empezar la novena de difuntos».* Merceditas era la bisabuela de Leonor y la noche anterior, la abuelita había tenido un sueño en el cual oía doblar las campanas y veía un montón de gente, vestida de negro, que se dirigía apresuradamente a la casa de Merceditas; cuando preguntó qué pasaba, le dijeron que iban al velorio de Merceditas. La abuelita Julia se despertó y completamente segura de la muerte de la bisabuelita, empezó los dos años de luto riguroso, tal como mandaban los cánones sociales de entonces y durante nueve días, antes del santo rosario, rezó, con toda la familia, la novena de difuntos. Efectivamente, Merceditas había muerto en la fecha del sueño de la abuelita Julia.

Pero la abuelita, aparte de creer en la comunicación entre los vivos y los muertos, tenía los pies muy bien puestos en la tierra, como que había nacido a comienzos del siglo XX, un lunes del mes de diciembre, cuando el Sol andaba por los 9º 36’ de Capricornio y un «stellium» en la casa 9 presagiaba su casi misticismo ya que, según recordaba Leonor, era especialmente religiosa. Júpiter, Urano, Mercurio y Venus en la casa 9 de Sagitario decían que ella era «andariega» y, en verdad, cuando no estaba tejiendo, bordando o haciendo mil cosas en la casa, estaba viajando.

Los fantasmas, más ficticios que reales, que acompañaron a los niños mientras crecían en San Luis, el pueblo del Tolima de donde eran oriundos, no los abandonaron cuando Leonor y sus hermanos, adolescentes o preadolescentes, llegaron a vivir en Santa Ana, en el Departamento de Caldas y aún después en Arenales.

Leonor recuerda que por ahí a mediados de los años sesenta, parece ser que Berta se contagió de amigdalitis en el colegio y enseguida cayeron también enfermas Isabel y Pilar. Como quiera que la fiebre era muy alta y los síntomas muy azarosos, don Valeriano, cediendo a los ruegos de doña Julia, que ya había agotado todo el arsenal «yerbatero», llevó las muchachitas al médico, quien lo asustó y le dijo que había que operar a Berta que era la más enferma.

Don Valeriano pensando que lo más seguro era que, más adelante, habría que operar a las otras dos niñas porque «eso repite», como dijo el médico, logró un precio de ganga si se operaba a las tres de una vez. Así que se pagó una sola pieza para las tres enfermitas y un día, a las 7 de la mañana, entraron a Berta al quirófano y cuando la sacaron más muerta que viva y entraron a Isabel, Pilar, asustada y creyendo que sus hermanas morirían y que después le tocaría a ella, se «voló» de la clínica y con la bata blanca que le habían puesto, llegó a la casa donde doña Julia y los demás hijos, arrodillados en la sala, rezaban por la salud de las hermanitas. Cuál no sería el terror y la gritería de todos al ver el «fantasma» de Pilar, que había muerto en la cirugía y llegaba a la casa para asustar a la familia.

*****

A finales de 1967 don Valeriano, que hacía un par de años había comprado una finca cafetera cerca de Arenales, llegó con su familia a vivir al pueblo, primero en una casa ubicada cerca de la Iglesia y que era propiedad de don Antonio Gómez Mejía, y luego en una casa al frente del colegio de las monjas. Se trataba de una casa de medio balcón, con apenas dos habitaciones y un patio, con paredes blancas y puertas azules que había estado desocupada dos o tres años porque según, las malas lenguas, allí asustaban, posiblemente porque un dueño anterior, muerto misteriosamente, había estado buscando un supuesto tesoro escondido en alguna parte de la casa.

Don Valeriano compró la casa, o mejor el lote, porque la reconstruyó en su totalidad y terminó siendo una casa de estilo colonial, de dos plantas con dos habitaciones en la primera planta y cuatro en la segunda donde alrededor de una sala-comedor estaban la cocina y los baños y, en la parte de atrás, el patio, que más que patio era el «beneficiadero»[12] del café. Todavía hoy me parece ver a doña Julia y a las personas que la visitaban, escogiendo café en una mesa grande ubicada en la parte de atrás porque allí era donde ella recibía las visitas sin interrumpir su labor. Además había una terraza con techo de vidrio en la cual se secaba el café que había sido beneficiado en el patio.

Por ahí a mediados de ese año, cuando ya las obras de reconstrucción estaban muy adelantadas y la familia estaba luchando por instalarse en una casa construida a medias, una noche sin luna, especialmente oscura, según me contó Leonor, una de las niñas oyó unos como pasos de alguien que bajaba de la terraza. A la

---

[12] El «beneficiadero» es un espacio en el cual se instala la despulpadora o máquina para pelar el café, también hay un espacio para su fermentación y un tanque para lavarlo.

mañana siguiente se comprobó que nadie de la casa había estado merodeando por la terraza, así que se pensó que los «fantasmas», de que hablaban los mayores y que los habían acompañado en el Tolima y en Caldas, habían regresado y se habló mucho y se asustaron más. Pero el fantasma persistía en acompañarlos y en la noche se volvieron a oír los pasos y se habló de un «señor con botas». Y el señor con botas, que no se sabe quién había sido en vida, siguió bajando de la terraza y entrando a las habitaciones y asustando a todo el mundo, así que no era raro que muchas noches los muchachitos terminaran durmiendo en la alcoba de los papás.

Mientras se reconstruía la casa, hubo un accidente en el pueblo y murió uno de los obreros, un pintor de brocha gorda, y entonces su espíritu, atormentado, fue otro fantasma que se unió al «señor con botas» y mientras éste rondaba por la terraza y bajaba para asustar a los niños, el fantasma del pintor se dedicó a rondar por una de las piezas del primer piso, que hacía de depósito y donde se guardaban las canecas del combustible para operar las máquinas del beneficiadero del café, y el «alma en pena» hacía sonar las canecas unas con otras, mientras en el segundo piso, la familia rezaba rosario tras rosario, por la supuesta liberación del espíritu fantasmal que los perseguía.

*****

En 1970, Juliana, la segunda hija de don Valeriano, contrajo matrimonio con Joaquín Dávila Guzmán, hijo de Martín y Carlina, un muchacho bien parecido, juicioso y trabajador que era considerado en el pueblo como un buen partido por ser de una de las familias más ricas de Arenales. Los recién casados vivían en una casa de dos plantas, muy grande y muy bonita ubicada en el marco de la plaza y donde habían vivido hasta su muerte los padres de Joaquín y continuó siendo la casa familiar para los hermanos y hermanas del recién casado.

Por esa época falleció Celina, una de las hermanas de Joaquín. Recuerdo que tanto al velorio como al entierro asistió todo el pueblo porque la familia Dávila Guzmán era querida y respetada, pero al día siguiente ocurrió otra de esas incursiones fantasmales que aterraban a la familia de Leonor. Resulta que muy temprano Jacobo, uno de los hijos de don Valeriano, fue a la casa de Juliana y no más traspasar el umbral del portón alcanzó a ver a Celina, la muerta, o mejor su fantasma, que envuelto en un sudario blanco, bajaba del segundo piso, levitando, porque no ponía los pies en los escalones. Jacobo aterrorizado gritó antes de caer desmayado. Cuando volvió en sí no podía creer que el «fantasma» que lo había aterrorizado era Isabel, otra de las hermanas de Joaquín, que se había quedado en la casa antes de viajar a Bogotá, donde vivía.

Pero los fantasmas no sólo convivían con la familia de don Valeriano, también lo hacían en muchas casas del pueblo. Recuerdo una casa muy grande y muy bonita que había cerca de la casa de mis abuelitos, y de la cual se habían «posesionado» un montón de «ánimas» del cementerio, que llegaron a la casa cuando el doctor

Alfonso Escobar, que era el dueño, llevó unos ladrillos y unas piedras que habían estado en el cementerio para hacer unas reformas, fantasmas, ánimas en pena o aparecidos que continuaron paseándose en la noche por la casa y asustando a los herederos del doctor, hasta cuando éstos la vendieron y se fueron a vivir primero a Esmeraldas, la capital de Restrepo, y luego a Estados Unidos.

A Leonor las historias de aparecidos y fantasmas le parecían graciosas, y siempre creyó que eran fruto de la educación que les habían dado y que ella trataba de sacudirse, pero que no acababa de lograrlo del todo porque creía en agüeros y cumplía los «deberes religiosos» igual que toda la familia. Sólo muchos años después, pude comprobar que una buena dosis de escepticismo, teñida de ateísmo, había logrado cambiar esa credulidad de mi amiga.

Y es que para poder entender la vida de las familias colombianas de mediados del siglo XX, es necesario conocer y entender el machismo de los hombres, de los curas católicos y de las autoridades de un estado confesional como Colombia. Nadie faltaba a la misa dominical, se hacían los primeros viernes[13] y en los colegios católicos sólo se admitían niños y niñas que fueran hijos legítimos, es decir que los padres estuvieran casados por los ritos de la Iglesia Católica. No existía el divorcio, puesto que la casi totalidad de los colombianos eran católicos y el Estado, como ya dije, era confesional, todos los años el Presidente de la República consagraba el país al Sagrado Corazón de Jesús y la gran mayoría de la

[13] Devoción católica consistente en confesarse y comulgar el primer viernes de cada mes, durante nueve meses seguidos.

gente creía en brujas, espantos, aparecidos y almas en pena. El Código Civil consagraba como causales de separación de un matrimonio, el «adulterio» de la mujer o el «amancebamiento» del marido y, por supuesto, el adulterio de la mujer era delito y aunque ya en el Código Penal de 1936 tal delito había desaparecido, parece ser que en el Arenales de los años 50, o aún de los 70, no se habían enterado, y más de una mujer fue llevada a la cárcel por el supuesto delito de «adulterio».

Sobra decir que la familia de don Valeriano no fue ajena a la epidemia de emigración a los Estados Unidos, tanto los esposos como la mayoría de los hijos emigraron al país del norte, donde sufrieron como los demás inmigrantes y, finalmente, don Valeriano regresó a Arenales, donde murió, rodeado del cariño de todo el pueblo, mientras doña Julia vivió en Miami hasta el día de su muerte.

*****

La historia de la casa de las veraneras y de los fantasmas terminó, aparentemente, cuando en 1988, don Valeriano, a los setenta y un años de edad, murió y la casa fue comprada por una entidad oficial de Arenales. Doña Julia continuó viviendo en Miami y recibiendo cada ocho días a sus hijos para un almuerzo familiar, o para pasar vacaciones, los que aún vivían en Colombia. Diecinueve años después de la muerte de don Valeriano, el miércoles 7 de marzo de 2007, doña Julia murió rodeada de todos sus hijos, después de una corta pero fulminante enfermedad, mientras

Saturno retrógrado transitaba en oposición a su casa 8 de la muerte, activando de paso su Marte natal y, el 9 de noviembre de 2016, falleció Enrique, el mayor de los hijos varones, cuando Saturno en tránsito formaba una cuadratura con su casa de la salud y una oposición a su Urano natal, y recordemos que la cuadratura es el peor aspecto, Saturno el planeta de la muerte y Urano, el planeta de las muertes repentinas.

Pero la historia de la casa de las veraneras y de los fantasmas no terminó con la muerte de don Valeriano, o de doña Julia o de Enrique porque un día Raquel salió con el cuento de que había visto cuando unos ángeles sacaban a don Valeriano del purgatorio y lo llevaban al cielo, y otro día Pilar contó que había visto a doña Julia en el cielo rodeada de nubes y estrellas. Todo esto se entendió como que ya los esposos no necesitaban de las oraciones de los hijos que continúan creyendo en fantasmas y aparecidos, tal vez se escapan de los «fantasmas», Leonor y Constanza a quienes sus creencias o ausencia de ellas, les sirven de escudo protector, mientras sus hermanos y hermanas, ya mayores, esperan la muerte rezando para poder llegar al cielo donde esperan reencontrarse con los papás y el hermano muerto.

Reflexiones acerca de libros quemados y almas en pena

Cuando me desempeñaba como astróloga aficionada, o «bruja» según decían en el pueblo, una de mis amigas, «no creyente de la Astrología», me pidió prestados unos libros para ver de qué se trataba «eso» y, por supuesto, le presté algunos y le regalé otros, esperando convencerla y que los conservara y los cuidara como yo lo había hecho.

Dio la casualidad que mi amiga soñó con la mamá, muerta años antes, y le comentó el sueño a una de sus hermanas mayores, persona muy católica, quien, alarmada, investigó y concluyó que el espíritu de la mamá muerta estaba sufriendo en el «más allá» porque en la casa de una de sus hijas, al parecer en la de mi amiga, había un «fetichismo» que era necesario erradicar. Fetichismo que identificó con los libros de Astrología, razón por la cual le ordenó a mi amiga deshacerse de tales libros y ella, asustada y temerosa de Dios, los destruyó para que su mamá descansara en el más allá.

Junté tal episodio con los fantasmas o almas en pena que según mi amiga Leonor, la hija mayor de la señora de la casa de las veraneras, convivían con su familia desde hacía muchos años y no pude menos que sonreír pensando en la credulidad de algunas personas, y decidí escribir al respecto.

*****

La verdad es que no entendí en qué contexto usó tal término la hermana de mi amiga. Según el diccionario Larouse, *«Fetichismo es el culto o veneración que se tributa a un fetiche»* y un fetiche es *«un objeto material al que se le atribuyen propiedades mágicas benéficas»*.

No entiendo ¿cómo puede creerse que mi amiga o yo le rindamos culto o veneración a un libro de Astrología? O yendo más al fondo del asunto, ¿cómo es posible creer que mi amiga o yo rijamos nuestras vidas por los dictámenes de la Astrología? Y, finalmente, ¿cómo creer que la mamá de mi amiga está sufriendo en el más allá, o sea, que es «un alma en pena»?

Vamos por partes.

Personalmente no le rindo culto ni veneración a nada, ni a nadie y muchísimo menos a un libro, los guardo, los cuido, los quiero y parodiando a los que aman las mascotas suelo decir que «mientras más conozco la gente, más amo mis libros». Y en cuanto a creer en la Astrología y regir mi vida por ella, suena a chiste, toda vez que inicio cada uno de mis dictámenes con una notica donde afirmo que la Astrología no es ciencia, ni arte, ni técnica adivinatoria y que según comprobaciones estadísticas, tales dictámenes han alcanzado hasta un 10% de acierto, es decir, el mismo número de aciertos que se esperaría por azar y, es que siempre he querido ser dueña de mi vida. Por supuesto que me gusta la Astrología, como me gusta la Historia o la Filosofía. Y en cuanto a mi amiga, hasta donde sé, es profundamente católica, y nunca he visto en su casa un altar, con flores y velas encendidas a un fetiche cualquiera, ni he sabido que le rinda culto a un libro.

En cuanto a afirmar de alguien fallecido que es un «alma en pena» y se está comunicando con sus parientes desde el más allá, quien se diga católico debe tener cuidado, esa afirmación está en los límites de la herejía porque la Iglesia Católica no acepta esas supuestas comunicaciones y las llama «espiritismo».

La hermana de mi amiga puede decir que está segura que la mamá se comunicó en sueños con ella porque está sufriendo en el más allá. Yo creo que si una persona sueña con la mamá muerta es porque la quiso mucho y ahora, tal vez, se siente sola y su cerebro quiere llenar ese vacío afectivo y le envía mensajes, que no vienen del más allá, sino del propio cerebro.

Finalmente, aceptando que existe Dios, los espíritus, la vida eterna, el cielo, el infierno y no sé cuántas cosas más, la mamá de mi amiga fue una mujer tan buena y sufrió tanto en vida, que si Dios existe y hay justicia en el «más allá», ella está gozando de la bienaventuranza y no necesita que nadie queme o destruya un libro de Astrología o de cualquier cosa para poder entrar al cielo.

Y a propósito de la destrucción de libros, tengo entendido que desde Cicerón, filósofos, políticos y pensadores en general, están recordándonos que, *«quien olvida la historia está condenado a repetirla»*, por eso se me ocurre recordar algunos capítulos vergonzosos y dolorosos de la historia universal para no tener que repetirlos. Esos capítulos tienen que ver con la destrucción de libros y con la obediencia ciega a la autoridad.

Desde el año 212 A. de C. cuando el emperador de China, Qin Shi Huang, ordenó una quema de libros, hasta el 31 de diciembre de 2001 cuando Jack Brock, pastor de la Iglesia Cristiana Community Church de Alamagordo en el sur de Nuevo México, organizó la quema de los libros de Harry Potter, gobernantes, sacerdotes de todas las religiones y autoridades de todas las latitudes ordenaron quemas espectaculares de libros y bibliotecas, en un intento por dominar y censurar ideas y modos de pensar.

En el libro de *«Los hechos de los apóstoles»* capítulo 19, versículos 18 a 20, se da cuenta de una quema de libros[14]. Y quién no sabe lo ocurrido con la Biblioteca de Alejandría que fue destruida, primero por Julio César, luego por Diocleciano y, finalmente, por cristianos y musulmanes. La historia recogió las palabras del califa Omar al ordenar tal quema: *«Si no contiene más que lo que hay en el Corán, es inútil, y es preciso quemarla; si*

---

[14] Dice textualmente el versículo 19: «Muchos asi mismo de los que se habían dado al ejercicio de vanas curiosidades o ciencia mágica, hicieron un montón de sus libros, y los quemaron a la vista de todos; y valuados, se halló que montaban a cincuenta mil denarios o siclos de plata.»

contiene algo más, es mala, y también es preciso quemarla». Sobra cualquier comentario.

Otras quemas de libros fueron: la llamada *«Hoguera de las vanidades»* del siglo XV en Florencia; la quema de los libros y códices mayas por el sacerdote Diego de Landa el 12 de julio de 1562; la quema de los discos de los Beatles por personas del «Cinturón Bíblico de Estados Unidos»; las quemas hechas durante la Revolución Cultural China de 1966 a 1976; las quemas a partir del golpe de estado de Chile de 1973, o de Argentina de 1976; o, las llevadas a cabo por los nazis de 1930 a 1945.

A propósito de los nazis, cuando se visitan los monumentos recordatorios de las atrocidades cometidas por ellos, sobrecoge el monumento que existe en Berlín en la plaza Bebelplatz que conmemora la quema de libros ocurrida el 10 de mayo de 1933. El monumento consiste en un cristal en el suelo por el cual se ve, en un sótano, una biblioteca con tableticas marcadas y, al lado, una placa en la cual se lee la cita premonitoria de Heinrich Heine escrita en 1821: *«Ahí donde se queman libros se acaba quemando también seres humanos».*[15] Y, finalmente, recuerdo que cuando Sigmund Freud se enteró de la quema de sus libros dijo: *«Cuanto ha avanzado el mundo: en la Edad Media me habrían quemado a mí».*

Y, en el campo de la ficción, se cuentan quemas de libros en *«El Quijote»*, *«El nombre de la rosa»* y en una novela que me gustó mucho, *«Farenheit 451»* de Ray Bradbury, que fue llevada al cine con la dirección de François Truffaut. Bradbury habla de un mundo futuro en el cual está

---

[15] Berlín & Potsdam. Globalguides.net. pag.19

prohibido pensar, y para lograrlo se prohíbe leer y tener bibliotecas, y existen «bomberos» cuya función es quemar libros.

*****

Obedecer ciegamente a la autoridad también es peligroso. Y es que todas esas quemas de libros no se hubieran podido llevar a cabo, si no hubieran existido personas que obedecían ciegamente las órdenes recibidas. Y en este momento me viene a la memoria el origen de la prostitución. Se dice que la prostitución, tal como la conocemos hoy, fue inventada por los sacerdotes en la antigua Babilonia ya que por su gran ascendiente sobre la población, obligaron a las mujeres a prestar servicios sexuales a los hombres, en el templo, para sufragar los gastos del culto.

Ya el artículo 21 de la derogada Constitución Colombiana de 1886 nos prevenía de tal peligro diciendo que, *«… en caso de infracción manifiesta de un precepto constitucional en detrimento de alguna persona, el mandato superior no exime de responsabilidad al agente que lo ejecuta»*. Y es que desde pequeñitos nos enseñan a obedecer órdenes porque «la autoridad es buena», y esto se nos queda tan grabado que, ya de adultos, seguimos ciegamente a la autoridad, aun cuando, muchas veces, veamos que no es buena. Y nos acostumbramos a dar órdenes para que alguien haga lo que queremos con cualquier argumento autoritario, y entonces nos amparamos en que: Dios ordenó…, la ley o el gobierno dicen…, el maestro me dijo…, desde el más allá se nos ordenó..., en sueños vi... Recordemos las palabras de Martin Luther King cuando decía que todo lo que Hitler y los nazis hicieron era legal, mientras el «boicot» que él estaba haciendo era ilegal.

Se puede decir que eso de la obediencia ciega a la autoridad no es del todo cierto porque todos los días vemos gente que se rebela, organismos internacionales que condenan a los países que violan los derechos humanos. Eso es verdad, pero si bien a nivel, digamos, «macro», así es, tales conductas y órdenes logran ampliamente su cometido a nivel «micro», en el interior de los hogares y sobre todo si el destinatario de tales mandatos es una mujer. Todos conocemos casos en los cuales un marido, un padre o un hermano mayor prohíbe ver un programa de televisión o leer un libro «porque sí», o un hermano o hermana mayor ordena quemar un libro porque una autoridad del más allá lo ordena o para que un ser querido muerto, descanse en paz.

*****

Lo que me parece más chistoso de todo, es que a pesar que fue casi una orden la que mi amiga recibió de su hermana y procedió a destruir todo. Parece que luego lo olvidó y a pesar de creer que su mamá está sufriendo, tiro por tiro ella recuerda todo lo que alcanzó a estudiar de la Astrología y seguramente porque le gusta, lo trae a colación cada vez que se da la posibilidad en una reunión. Siempre es ella quien habla de la Astrología, ¿será que el pensar y hablar del tema no hace que su mamá sufra? Habrá que preguntárselo a la hermana de mi amiga, a ver si también la obliga a pensar diferente.

Una de mis hijas no pierde oportunidad y cada que la ve, le recuerda, ¡ojo no hable de Astrología, eso está prohibido para usted!

Relato No. 4

El matricidio de Magda

A mediados de 2007, cuando ya estaba viviendo en Miami con mis hijas, me avisaron de la muerte de doña Catalina López vda. de Acosta, quien también vivía en Miami, y como Magda, su hija mayor, había sido compañera mía en el colegio, fui al entierro y le di el pésame a mi amiga. En la charla obligada después de la ceremonia católica del entierro, Magda me dijo que estaba muy triste y que pensaba irse unos meses para Colombia. Todo muy normal ya que ella prácticamente vivía en los dos países porque, como tantos inmigrantes, no terminaba de aclimatarse en Estados Unidos y cuando estaba en Colombia le hacía falta su familia.

Pero parece que la situación era cualquier cosa menos normal y quedé «pegada del techo»[16] cuando me contaron que, al llegar a Colombia, en el aeropuerto de Santiago, la policía había

---

[16] Coloquialmente, sorprendida.

detenido a mi amiga. Indagué la causa de la detención, pero nadie me pudo dar razón. Lo primero que me imaginé fue que alguien le había metido droga en el equipaje, pero enseguida pensé que eso era una tontería porque nunca había oído de nadie que llevara droga de Estados Unidos a Colombia, lo que solía ocurrir era que llevaran droga de Colombia para Estados Unidos. Entonces llamé a una de mis clientas en el pueblo y lo que me contó me pareció todavía más extraño ya que, según ella, mi amiga había sido detenida por haber matado o intentado matar a la mamá. No entendí muy bien la historia porque hasta donde había oído, doña Catalina había muerto de leucemia y en un hospital.

Magda fue una de las compañeras del colegio a quien le leí la suerte y que si bien, en un comienzo, no creía en mis poderes «brujeriles», terminó por creer un poquito. Y es que nunca me equivoqué, no en balde la conocía desde el colegio, era su confidente y podía intuir cómo actuaba y qué era capaz de hacer en la vida. Y no sólo terminó creyendo algo en «mis poderes», sino que, en más de una oportunidad, no quiso oír mis predicciones porque yo podía sugestionarla.

Magda era hija de don Vicente Acosta Arias y doña Catalina López Escobar y había nacido a las 10:30 de la noche de un domingo cuando por el horizonte asomaba la constelación de Libra y el Sol andaba por los 5° 33’ de la constelación de Acuario. Venus como regente del ascendente y Urano del signo solar, unido todo a un «stellium» en Tauro en casa 8, presagiando una fascinación por la muerte y el «más allá» y una predisposición al estudio de las ciencias ocultas o a creer en las ciencias ocultas. Y, a propósito de lo que estaba pasando, me impresionó profundamente comprobar en mi libro de efemérides astrológicas que cuando Magda viajó a Estados Unidos, después de enviudar a comienzos del 2004, para vivir con sus hijas, Saturno retrógrado transitaba por Piscis a 90° del Saturno natal de la casa 9 y hay que recordar que Piscis es el signo de todo lo que es escapismo y reclusión como cárceles, hospitales o drogas; y el mismo Urano, en su tránsito, estaba a 90° de la casa 3 de los hermanos, casa que a su vez estaba a 180° de la casa 9. Los 90° constituyen lo que en Astrología se denomina «cuadratura», que es el peor aspecto que pueden presentar dos astros, mientras los 180° constituyen la «oposición», que no es tan mala, pero crea tensión en los dos extremos. La Situación astrológica era preocupante porque presagiaba no sólo incomprensión y malos entendidos con los hermanos, sino también pérdida o detrimento de la libertad y todo ello relacionado con su estadía en el extranjero.

Como ya dije, conocí a Magda en el colegio de las monjas y nos hicimos buenas amigas, amistad que no destruyó el paso del tiempo, y a pesar de que ella se fue de Arenales, en vacaciones siempre nos encontrábamos en el pueblo, y cuando aprendí Astrología levanté su carta natal y cada vez que ella llegaba le tenía una lista de predicciones para el año siguiente, predicciones que, invariablemente, se cumplían porque conociéndola le daba consejos lógicos y de sentido común, pero que en muchas ocasiones la asustaban y, más de una vez, en momentos cruciales, no quiso que le dijera nada, como cuando se casó o se fue del país.

Mis aciertos comenzaron desde el colegio, cuando le regalé una vela, supuestamente hechizada por mí, y que debía encender todas las noches a las 7 en punto durante cinco minutos mientras le rezaba al ángel de la guarda de Carlos, un muchacho del Colegio Oficial que a ella le gustaba, y se ennoviaron aunque el romance no duró mucho porque ella se desencantó del muchachito, que sólo era «pispito de ojo»[17] pero con poquitas ideas en la cabeza y ella terminó por cansarse de las tonterías que decía. Eso fue suficiente para que yo entendiera que 8 puntos de aire[18], casa 5 en Acuario y un stellium en Tauro hacían de Magda una mujer intelectual pero no especialmente fiel y constante en el amor. El tiempo me dio la razón porque Magda se casó dos veces, se divorció otras tantas, tuvo dos hijas, Ana María y Paula, y terminó viviendo sola.

Cuando salimos del colegio y yo empecé a trabajar, Magda se presentó a la Universidad de Restrepo, en Esmeraldas, donde empezó pero no terminó Medicina y a pesar de que yo le había dicho que con 8 puntos de aire, ascendente en Libra, casa 3 en Sagitario y Júpiter en conjunción con la cúspide de la casa 9, su carrera debía ser el Derecho, desoyó mi consejo y cuando tuvo oportunidad de volver a la Universidad, ingresó a la Facultad de Enfermería y después de muchos tropiezos se graduó como enfermera y trabajó,

[17] Bien parecido.

[18] Para la Astrología los signos del zodiaco se clasifican en signos de fuego, de tierra, de aire o de agua. El fuego es acción, la tierra es practicidad o sentido común, el aire es comunicación e intelectualidad y el agua representa los sentimientos. Para saber cuántos puntos de cada elemento se tienen, basta sumar los planetas en los distintos signos.

hasta pensionarse, en el Hospital Universitario de Esmeraldas.

Siempre estuvimos al tanto la una de la otra, así que cuando se fue a vivir a Estados Unidos para estar más cerca de la familia, yo tomé también la decisión de irme y fue ella una de las personas que me ayudó a organizar el viaje, así que cuando supe que estaba detenida en la cárcel de Santiago, compré pasaje y viajé para ver si podía hacer algo por mi amiga, aunque sabía que ella tenía un hermano abogado, Esteban, y que ayuda jurídica no le faltaría.

Cuando llegué a Santiago no podía creer lo que me contaron: Esteban no sólo no le estaba prestando ninguna ayuda jurídica a mi amiga, era él quien la había denunciado penalmente. Lo primero que hice fue conseguir una boleta de visita y me presenté en la cárcel. Nos abrazamos y casi no podíamos desatar palabra. Mi amiga estaba triste pero tranquila, me dijo que no tenía abogado y que no pensaba conseguir ninguno, que iba a esperar para ver hasta dónde llegaba la familia y por qué.

Pasados los primeros minutos de incredulidad, me contó lo que había ocurrido o mejor, lo poco que le habían contado. La acusaban de haber ordenado que le aplicaran la eutanasia a doña Catalina en un hospital de Estados Unidos. Más raro todavía porque hasta donde yo sabía, la eutanasia era legal sólo en algunos estados de Estados Unidos, pero no en La Florida, así que era imposible que algún médico a instancias de mi amiga o de cualquiera otra persona le hubiera aplicado la eutanasia a doña Catalina.

¿Qué había ocurrido entonces?

Con lágrimas en los ojos, Magda me contó los pormenores de la muerte de su mamá. Un día se sintió especialmente indispuesta, entonces Isabel, la hija que vivía con ella, pensó que podía tratarse de un comienzo de infarto y la llevó al hospital. Allí la atendieron por Urgencias, y después de todos los chequeos de rigor le dijeron que la señora presentaba un cuadro agravado de leucemia y le explicaron cuál era el posible tratamiento. Isabel habló con mi amiga por ser la hermana mayor, ya que necesitaban que la persona responsable de la señora firmara autorizando el tratamiento respectivo, tal como se hace en Colombia y pienso que en cualquier lugar del mundo.

Entre Magda e Isabel convinieron en que antes de firmar debían buscar un concepto que les brindara más confianza y fue así como llamaron a un médico colombiano, amigo de la familia, le explicaron la situación y él les dijo que ese era el tratamiento que actualmente se aplicaba en caso de leucemia y que estaba bien que lo autorizaran, y así se hizo e inmediatamente la llevaron a la sección de Oncología e iniciaron el tratamiento correspondiente. Doña Catalina tuvo una leve mejoría, pero en cosa de diez días murió.

Entonces ¿de dónde salió el cuento de la eutanasia?

Quienes conocíamos a Magda, sabíamos lo que ella pensaba de la muerte porque, en más de una oportunidad, había hablado del derecho al suicidio, del horror que significa el que a uno lo obliguen a vivir cuando la vida ya no tiene sentido por una enfermedad, o por cualquier circunstancia que rebase los límites de la resistencia humana porque, en últimas, la vida le pertenece a cada persona. La posición de una persona ante la muerte no la convierte en asesina, pero si hay algo más grave que el ateísmo es la ignorancia y eso fue lo que ocurrió en este caso. Como siempre ¡qué peligroso es estar en el lugar equivocado y en el momento equivocado!

Atando cabos, mi amiga concluyó que en el momento en que se firmó la autorización para el tratamiento de doña Catalina estaba presente Cristina, una de las hijas pequeñas, y sin entender muy bien lo que pasaba, sólo vio cuando a la señora le quitaron algunos de los aparatos que le tenían conectados al cuerpo en la sección de Urgencias mientras la llevaban a Oncología y, sin pensarlo dos veces, llamó por teléfono a Esteban, el hermano abogado que vive en Santiago y muy angustiada le dijo:

—Esteban, Magda ordenó desconectar a mi mamá y la van a dejar morir.

Alarmado, Esteban llamó a la hija mayor de Magda y le suplicó:

—Anita, por Dios, no deje que su mamá mate a mi mamá.

Y ahí se armó el «tierrero». Cristina se constituyó en guardaespaldas de doña Catalina, no dejaba arrimar ni a Magda ni a Isabel a la cama de la enferma, y si alguna llegaba al Hospital a averiguar por la mamá, no les quitaba el ojo de encima. Y así murió doña Catalina sin que ni Isabel ni Magda hubieran podido despedirse de ella. Pero la señora no se enteró de nada, y murió en paz rodeada de sus hijas. Sólo faltó Esteban que vivía en Colombia y no alcanzó a viajar a Miami.

Pero a todas éstas, Magda seguía detenida en Santiago mientras se solicitaba a Estados Unidos copia de todo el trámite médico, y se especulaba acerca de lo que había pasado. En todo caso, Magda se mantuvo firme en no darle poder a un abogado, así que el Juzgado le nombró uno de oficio, aunque yo supe que, «por debajo de cuerda», las hijas hablaron con el abogado y le pagaron para que se agilizara el trámite. Efectivamente tan pronto llegó la historia clínica y la tradujeron al español, el Juez ordenó archivar el expediente y dejar en libertad a mi amiga.

*****

Y como epílogo, todos aprendimos algo de la eutanasia y se habló mucho de la vida y de la muerte desde diversos ángulos: histórico, religioso, filosófico y jurídico. A propósito de lo ocurrido, recuerdo la película de humor negro «*La última solución de Grace Quigley*», con Katharine Hepburn, que nos hizo reír pero también pensar, ya que habla de la manera como una anciana trata de solucionar sus problemas de soledad y amenaza de desalojo de la residencia donde vive. Casualmente, Grace conoce a un asesino a sueldo y lo chantajea para que cometa otro crimen, lo curioso es que debe matarla a ella. En este punto se involucran todos los ancianos de la residencia y uno termina por reírse de lo que ocurre pero también de pensar en el derecho a morir.

Y en cuanto a mi amiga Magda, quien no se había distinguido propiamente por su sociabilidad, terminó más sola que nunca, su mundo eran sus hijas, sus nietos, sus libros y una que otra amiga porque a partir de ese día, no volvió a hablar ni con Cristina ni con Esteban.

Reflexiones acerca de la Eutanasia

Apenas en 1997, con una sentencia de la Corte Constitucional, se habló de eutanasia en Colombia.

Eutanasia significa «buena muerte» y antiguamente era morir en forma natural, sin sufrimiento, pero con el tiempo vino a significar el provocar la muerte de un enfermo incurable para abreviar sus sufrimientos, lo cual dio origen a multitud de reflexiones médicas, éticas y jurídicas. Entonces se habló de la vida y de la muerte desde diversos ángulos, los católicos y conservadores a ultranza condenaron la eutanasia, y los ateos o de mente más liberal hablaron del derecho al suicidio, pero no se llegaba a conclusión alguna.

Un hito importante en estas reflexiones lo constituyó el hecho de que el Estado de Oregon, en Estados Unidos, hubiera aprobado, desde el 8 de noviembre de 1994, la *«Ley de la muerte con dignidad»,* o las normas existentes en el Estado de

Texas que permiten una eutanasia pasiva, al permitir desconectar los aparatos que mantienen artificialmente con vida a un enfermo, o las reglamentaciones que al respecto existen en Bélgica y Holanda, pero no he oído de norma alguna que permita algo parecido a la eutanasia en el Estado de la Florida.

En lo que hace a la vida jurídica colombiana y concretamente a la legislación penal, apenas en 1997 se empezó a hablar de eutanasia. Y es que nada dijo el clásico y conservador Código Penal de 1890, ni el de 1936 de corte más liberal el cual, si bien no dijo nada de eutanasia, consagró el homicidio piadoso, rebajando la pena aplicable y dándole al juez la posibilidad de prescindir de la misma. Y llama la atención la consagración, en ese mismo Código de 1936, de dos tipos penales llamados «inducción al suicidio» y «homicidio consentido», figuras penales que tienen un parecido al «suicidio asistido». También en los Códigos Penales de 1980 y 2000 se habló del homicidio piadoso y de la inducción o ayuda al suicidio, pero aumentando las penas.

En 1997, un ciudadano demandó la constitucionalidad del artículo que consagró el homicidio por piedad diciendo que tal artículo estaba desconociendo el derecho a la vida, consagrado como derecho fundamental por la Constitución de 1991. La demanda se resolvió con la sentencia de la Corte Constitucional C-239 de 1997, con ponencia del Magistrado Carlos Gaviria Díaz (q.e.p.d.), sentencia que consagró jurisprudencialmente la eutanasia diciendo que el artículo demandado estaba acorde con la Constitución de 1991, exhortando, en la misma sentencia, al Congreso para que, en el tiempo más breve posible, hiciera la regulación legal correspondiente teniendo en cuenta el consentimiento de la víctima, que es lo que constituye, propiamente, la eutanasia activa. Pero como el Congreso le dio largas al asunto, el Gobierno, por medio del Ministerio de salud, terminó por reglamentar la figura a comienzos de 2015.

En dicha sentencia, la Corte concluyó que tal norma, aunque fuera anterior a la Constitución de 1991, es constitucional porque el legislador no está desconociendo el derecho a la vida, piedra fundamental de la norma constitucional, y por eso quien mata a otro por piedad comete *«homicidio»*, pero una clase de homicidio cuya pena tiene en cuenta, de modo expreso, el componente psicológico ya que tiene que aparecer probado que fue *«por piedad para poner fin a intensos sufrimientos»,* y esto en casos puntuales porque los intensos sufrimientos deben provenir de lesión corporal o enfermedad grave e incurable, y ello porque el legislador puede tener en cuenta el componente psicológico al momento de consagrar una acción como delito, y también para agravar, atenuar o excluir la sanción y, con mayor razón, si media el consentimiento de la víctima.

Para entender lo que es la eutanasia, y a qué se refirió la Corte en su sentencia es necesario entender qué es la **eutanasia activa** y la **eutanasia pasiva** y diferenciarlas de cosas que se les parezcan. La eutanasia pasiva es **no actuar** y que de ese **no actuar** se siga la muerte de la persona, mientras que la eutanasia activa es **actuar** y que de ese **actuar** se siga la muerte de la persona; por ejemplo, un paciente debe tomar tal pastilla o de lo contrario se muere, el no darle la pastilla no significa que se mató a ese paciente, mientras que si se sabe que del darle determinada pastilla se sigue la muerte del paciente, constituye delito de homicidio el dársela. Es a esta clase de eutanasia que se refirió la Corte en su sentencia porque la eutanasia pasiva no constituye delito, puede ser *«falta de caridad cristiana»* o constituir un problema ético pero nunca un delito, al menos en el caso colombiano, por la falta del nexo causal entre la omisión del agente y la muerte del paciente.

También hay que diferenciar la **eutanasia activa**, que es a lo que se refería el Código Penal Colombiano de 1936 como *«homicidio piadoso»,* del **suicidio asistido** que consiste en que un profesional de la salud le explique a un paciente cómo quitarse la vida o le proporcione sustancias o elementos para llevar a cabo tal muerte, figura penal que, posterior a la sentencia de 1997, sí aparece consagrada en el Código Penal del año 2000 como *«Inducción o ayuda al suicidio»*.

La Corte despenalizó la eutanasia activa, pero no en forma simple como decía el Código Penal de 1936, sino con el cumplimiento de los siguientes requisitos: **primero**, intensos sufrimientos; **segundo**, que los intensos sufrimientos provengan de enfermedad terminal; **tercero**, que medie consentimiento del enfermo en su sano juicio; y, **cuarto**, que la solicitud se dirija a un médico. Es por eso que en la sentencia se exigen como requisitos de la eutanasia que «**los intensos sufrimientos provengan no sólo de enfermedad incurable sino terminal, que medie el consentimiento de un enfermo en su sano juicio y que la solicitud esté dirigida a un médico**».

Ante la imposibilidad de que el Congreso reglamentara tal figura penal, después de muchos tropiezos, tutelas y sentencias, el Ministerio de Salud, mediante la Resolución 1216 de 2015, impartió directrices para la conformación y funcionamiento de los Comités que resolverán acerca del derecho a morir con dignidad conformados, en cada institución prestadora de salud por un médico especialista en la patología que padece el enfermo que solicita morir con dignidad, diferente del médico tratante, un abogado y un psiquiatra o psicólogo. Comité que debe revisar la determinación del médico tratante, ordenar el trámite y vigilar para que se le dé cabal cumplimiento. Y como la premisa fundamental en estos casos, según palabras de la Corte, es que *«... sólo el titular del derecho a la vida puede decidir hasta cuando ella es deseable y compatible con la dignidad humana...»*, tal voluntad debe aparecer clara y sin lugar a dudas mediante escritura pública o escrito anterior a la enfermedad, convenientemente ratificado.

Mientras escribo estas notas acerca de la eutanasia, leo en su edición del 22 de julio de 2016 del diario *«El Tiempo»* acerca de la muerte de Tito Livio Caldas, jurista colombiano, fundador de LEGIS, cuyas publicaciones son texto obligado para los abogados colombianos. Dice el diario que el 17 de julio, dos días antes de su muerte, el señor Caldas escribió:

> ***«...consciente y en pleno uso de mis facultades mentales y, por otra parte, feliz y agradecido de haber vivido tan largamente la interesante etapa del mundo actual, rodeado de los que me aman y he amado, soy consciente de la larga vida cumplida y del***

derecho que me asiste de elegir, sobre todo a mis 94 años, las condiciones en que deseo que mi vida culmine, libre de dolor, de indignidad, en mi casa y rodeado de los míos. Así lo he decidido, con mi libre voluntad, en pleno uso de mis facultades mentales y conocimiento pleno de todo lo concerniente a la eutanasia como derecho autónomo humano fundamental.

«Si por algún motivo ajeno a mi decisión no se puede cumplir mi voluntad, expresamente, me rehúso a que se den cuidados a mi cuerpo en estado vegetativo o se mantengan indefinidamente mis funciones vitales por medios artificiales.

«Tengo un cáncer agresivo que en esta hora de mi vida, con mayor razón, me produce pavor porque me vería sometido al sufrimiento de una enfermedad terminal y al deterioro indignante de mis facultades físicas y mentales. Desde muy joven pertenezco a un mundo intelectual racionalista y mi decisión es únicamente el resultado de mis propias convicciones, del ejercicio pleno de mi autonomía y libre voluntad y, en este caso, de la admirable jurisdicción de la Corte Constitucional que consagró a favor de los colombianos el derecho humano, pleno y autónomo a una muerte digna.»

Relato No. 5

Cuentos de horror

El Código Penal colombiano de 1890, derogado en 1936, consagró como delito el adulterio de la mujer.

En 1955 y mientras la vida transcurría en Arenales sin mayores contratiempos, cursé cuarto de primaria en la escuela de la vereda y, como mis notas fueron excelentes, la profesora consideró que podía iniciar el bachillerato al año siguiente sin hacer el quinto de primaria y fue así como empecé el bachillerato en el Colegio de las monjas en el pueblo. Tenía unos doce o trece años y cada vez era más consciente de mí y de lo que ocurría a mi alrededor, pero lo que más me interesaba era estudiar, leer y adivinar lo que la gente pensaba porque muchas veces había visto que la gente decía una cosa y hacía otra.

No recuerdo que hubiera ocurrido nada especial a nivel familiar, y no fue difícil adaptarme a la vida en casa de mis abuelitos porque, más de una vez, habíamos pasado allí las vacaciones de fin de año.

Arenales, por esa época, era un pueblo pequeñito, tres o cuatro calles principales: la calle del Colegio, la calle del Viacrucis, la calle Real y la calle del Empedrado, que quedaba a un costado de la Iglesia y terminaba en la salida para Esmeraldas. Había además un parque donde se llevaba a cabo el mercado de los fines de semana, en el cual un par de carniceros vendían las dos reses que se sacrificaban para satisfacer a los pocos habitantes del pueblo, y los campesinos vendían papas, plátanos, verduras y frutas. A un lado del parque, una iglesia muy grande que se llenaba de fieles cada domingo y que albergaba diariamente a las beatas de Arenales. Finalizando la calle Real, un hospital atendido por un médico joven que hacía el año rural y por dos enfermeras. Había además dos escuelas, un colegio, dos o tres cafeterías, algunos bares o cantinas, un par de establecimientos de comercio, varias compras de café y unos pocos miles de habitantes y pare de contar.

Claro que con el tiempo, el pueblo creció, aumentaron los comercios, apareció la Caja Agraria, la Casa de la Cultura, un local donde funcionaban las oficinas y los almacenes de la Federación de Cafeteros, la guardería infantil y talleres de artesanías donde se hacían canastos y adornos de paja tejida, como alfombras, marcos para cuadros, candelabros y muchas cosas pequeñitas y curiosas.

Pero si bien a nivel de mi familia no ocurrió nada especial, a nivel del pueblo, a nivel nacional y a nivel mundial, si hubo mucho de qué hablar. A nivel nacional, el dictador Gustavo Rojas Pinilla continuaba en el poder y seguían los problemas de orden público, y en febrero se hundió el destructor

«Caldas» a causa de la sobrecarga que llevaba, sólo hubo un sobreviviente y en ese hecho se basó Gabriel García Márquez para escribir su *«Relato de un náufrago»*. A nivel mundial Estados Unidos hacía pruebas nucleares en Nevada y se inauguraba el primer restaurante de comida rápida, McDonald's, dos acontecimientos perjudiciales para la vida en este planeta. Afortunadamente, también, se descubrió la vacuna contra la poliomielitis.

Y cuando vivía con mis abuelitos en Arenales y empezaba el bachillerato, me enteré de tres dramas que se desarrollaron muy cerca de mí, pero los cuales no entendí a cabalidad en su momento, tuvieron que transcurrir varios años para que pudiera captar la magnitud de los hechos de los cuales fuimos testigos involuntarios. Tales dramas, por llamarlos de alguna manera, consistieron en el adulterio de una vecina, un caso de pederastia y un incesto.

Mis abuelitos vivían al frente del cementerio. Era una calle larga, empedrada, con un andén que habían construido los vecinos y donde en los días calurosos, que no eran muchos en el año, los viejecitos acostumbraban sacar una silla y tomar el sol mientras se contaban las últimas noticias. En esa calle existían dos casas que llamaban la atención. La primera, más o menos en la mitad de la cuadra, era una casa de material —ladrillo y cemento—, pintada de verde claro y blanco, con ventanas de vidrio, protegidas con cortinas transparentes que dejaban pasar la luz, pero que casi nunca se abrían. La segunda estaba al comienzo de la calle y era una casa pequeña, de bahareque con paredes apenas encaladas y sin ventanas, con una puerta de entrada que daba paso a un cuarto grande que era el taller de don Antonio, el zapatero remendón de Arenales, un hombre de unos cincuenta y cinco o sesenta años que vivía con un hijo de unos catorce años, que parecía sufrir retraso mental. No me gustaban ni la casa, ni don Antonio, siempre creí que si de verdad existían los fantasmas era muy factible que incursionaran del cementerio a la casa de don Antonio que, para mí, era la «casa tenebrosa», y procuraba no pasar cerca.

En la primera, vivía una señora joven, casada con un señor mayor. Aparte de que poco se relacionaban con los demás vecinos, todo parecía normal, hasta cuando la señora tuvo una hijita que sufría estrabismo. Recuerdo que una mañana llegó un carro de la policía y sacaron a la señora que lloraba y pedía a su hijita. La calle se llenó de gente, pero nadie la ayudó, y la Policía se la llevó. Entonces oí a los adultos comentar que se la habían llevado para el *«Buen Pastor»* en Bogotá[19], por adúltera. El *«Buen Pastor»* era la cárcel de mujeres y el marido, que parecía «un hombre bueno», no tuvo inconveniente en quitarle la hijita y mandarla a la cárcel. Y es que había un hombre joven, con el mismo problema en los ojos que la hijita de la vecina y que merodeaba la casa, y la única explicación que se encontró, fue que se trataba del verdadero papá de la hijita de la vecina.

Por esa época no entendí muy bien que había pasado, pero me impactó de tal manera que

---

[19] La cárcel de mujeres, «El Buen Pastor», inició actividades en Bogotá en 1893 siendo Presidente de la República Carlos Holguín. La mayoría de las mujeres allí recluidas eran convictas del delito de adulterio o del delito de aborto

aún no lo he podido olvidar, entre otras cosas porque ni siquiera sabía qué era el adulterio. Cada vez que recuerdo este episodio, me aterro más del «machismo» de la gente, de los legisladores y de las autoridades colombianas en general. Me refiero a la tipificación de conductas como delitos, y a la aplicación de esas leyes por parte de jueces, policías, carceleros y gente común y corriente. A raíz de lo ocurrido supe qué era el adulterio, y me quedó muy claro que si una mujer casada tenía relaciones sexuales con un hombre diferente del marido, la Policía se la llevaba esposada para la cárcel del *«Buen Pastor»* en Bogotá. Nunca supe en qué terminó el asunto y tampoco de la existencia de un delito llamado adulterio. Supongo que cuando le presentaron el caso al juez, éste la dejó en libertad porque el tal delito de adulterio no existía, pero la pobre señora se ganó el carcelazo y el escándalo en el pueblo. Por supuesto que nada se decía del adulterio masculino, parecía que los hombres siempre eran fieles o tenían permiso de Dios y de los hombres para ser infieles.

Sólo años después supe que, efectivamente, sólo las mujeres cometían tal delito porque el adulterio masculino no era delito, yo creo que era un derecho que tenían los varones porque ni siquiera era causal para la separación de cuerpos y de bienes, que regulaban las leyes civiles. Por eso en el Código Penal de 1890 se establecía la reclusión para la esposa adúltera, pero lo más doloroso de la situación de nuestra vecina era que en 1955 **¡esas normas penales ya habían sido derogadas!** y es que, desde 1936, el adulterio de la mujer había dejado de ser delito, y sin embargo a nuestra vecina la llevaron a la cárcel porque el marido y la Policía así lo dispusieron.

Pero, hubo otro caso igual en 1971 o 1972 ya que la policía detuvo a una señora del pueblo, por orden del marido y la mantuvo «secuestrada» en la cárcel por haber cometido adulterio. Y digo secuestrada porque entiendo que si se priva a una persona de su libertad, sin que medie un proceso penal y orden de autoridad competente, estamos en presencia de un secuestro. Ese hecho fue particularmente doloroso porque la señora tenía varios hijos pequeñitos que lloraban todo el día, y desde el sitio donde la Policía la tenía «secuestrada», se podía oír el llanto de los niños. Juliana, una de las hijas de la señora de la casa de las veraneras, que estaba recién casada y vivía en el «marco de la plaza» se enteró del asunto, y todos los días le llevaba comida a la señora. Claro que si bien el adulterio femenino había dejado de ser delito, todavía era causal de separación de cuerpos, no así el adulterio del varón, porque tratándose de ellos se exigía que tuviera otra casa y vida en común con otra mujer, es decir que existiera el «AMANCEBAMIENTO», trato desigual que apenas desapareció de la vida jurídica colombiana en 1976.

Todavía hoy, muchos años después, cuando pienso en tales hechos, no sé cómo juzgar a las personas que actuaron en contra de esas mujeres, ya que juzgar es muy fácil y casi siempre termina uno equivocándose, pero la única explicación que encuentro para ese trato «desigual e ilegal» es que los hombres, al menos en Colombia, aprenden desde el nacimiento a considerar a la esposa como una propiedad del marido y, así las cosas, no resulta raro que una mujer fuera a la cárcel por cometer adulterio.

¿O se trataría de mala fe en casos

puntuales, machismo o simple ignorancia?

No sé.

El segundo drama consistió en un caso de pederastia. Ocurre que un viernes del mes de mayo de 1955 a eso del medio día llegó la Policía a la casa de don Antonio, el zapatero que vivía en la «casa tenebrosa», y se llevó al hijo para la cárcel, y sacaron para el hospital un niñito que había desaparecido días antes y, según comentaron los «grandes», había sido violado y torturado por el muchacho. Hoy, me atrevo a pensar que era don Antonio el que no sólo había abusado del niño desaparecido sino de su hijo, si es que el muchacho retrasado mental era su hijo, porque decían que al niño más pequeño lo habían quemado con colillas de cigarrillo y recuerdo que don Antonio fumaba mucho y en cambio, nunca vi fumar al hijo, quien era un muchacho triste y muy callado.

Finalmente, en 1955, cuando empezaba bachillerato en el colegio de las monjas ocurrió otro caso, el cual no se ha borrado de mi memoria porque de alguna manera involucró a una amiguita mía de nombre Nubia. Era hija de un médico recién llegado al pueblo. Aparentemente era una niña como las demás, pero despertó mi curiosidad desde el primer día de clases porque hablaba un poquito raro a consecuencia de unas protuberancias que tenía en la lengua y, además, porque llevaba al colegio unos libros muy bonitos que formaban parte de una colección llamada *«El tesoro de la juventud».* Es decir, parecía de una familia rica, según se colegía de los cuadernos, lápices y caja de colores que usaba y porque todos los días una de las monjas le daba clases de piano.

Como quiera que Nubia era un poquito rara por la manera de hablar y porque tenía el cabello muy corto, cuando todas las demás usábamos el cabello largo, no tenía muchas amiguitas y yo era de las pocas compañeras que jugaba y charlaba con ella en el recreo, claro que yo lo hacía porque, a veces, ella me prestaba los libros que llevaba al colegio y yo aprovechaba para leerlos.

Alguna vez me invitó a estudiar a su casa y yo fui. Se trataba de una casa grande de dos plantas, situada en el marco de la plaza, había una sala con muebles de buena clase, un piano, y alrededor de un patio central, varias habitaciones que se veían muy bien arregladas. Cuando estábamos estudiando llegó el papá y, no sé por qué me pareció que no le había gustado mi presencia, pero no dijo nada y después de besar a Nubia me saludó normalmente. El papá me pareció mayor para tener una hija tan pequeña sobre todo porque no había mamá, sólo una hermana por ahí de unos 30 años, pero que por la manera como trataba a mi compañerita, más que hermana parecía la mamá. Y, efectivamente, no era la hermana porque mi compañerita era hija del médico y su hija mayor, según se supo después.

Mi amistad con Nubia duró poco, al año siguiente ella no fue al colegio porque la familia se había ido del pueblo. Y la ida del pueblo coincidió con la llegada de la esposa del médico y madre de la hija mayor, quien con una orden de captura en la mano se presentó en la Alcaldía, pero la detención no se hizo efectiva porque el médico, su hija mayor y mi compañerita «anochecieron y no amanecieron».

Reflexiones acerca del «machismo» de algunas leyes colombianas

La discriminación en contra de las mujeres impregnó la vida jurídica colombiana hasta la expedición de la Constitución de 1991.

En el Código Penal Colombiano de 1890 se establecía que «*la mujer casada que cometa adulterio sufrirá una reclusión por el tiempo que quiera el marido, con tal que no pase de cuatro años. Si el marido muriese sin haber solicitado la libertad de la mujer y faltare más de un año para cumplir el término de reclusión, permanecerá en ella un año, después de la reclusión hasta que cumpla su condena*». Y, más adelante ordenaba para los casos de delitos sexuales que: «...*si el seductor contrae matrimonio con la seducida, cesará por el mismo hecho todo procedimiento contra él; y si ya había sido condenado, le serán remitidas las penas que le falten por cumplir»*. Y es que según la ley penal vigente en Colombia hasta 1936, el adulterio femenino era delito y se castigaba con pena de prisión, pero tal castigo no existía si el adulterio era cometido por el marido, y cuando un hombre seducía a la novia, se escapaba de ir a la cárcel si se casaba con ella, es decir que el matrimonio era algo así como una «patente de corso» que le permitía a un hombre abusar de una mujer con la bendición de Dios y de la sociedad, pero si a la mujer se le ocurría cometer adulterio, iba derechito para la cárcel **por el tiempo que dijera el marido.**

¡Horror de horrores!

Y las leyes civiles y políticas no se quedaban atrás. Colombia fue uno de los últimos países de América en reconocer derechos políticos a las mujeres. Apenas en la reforma constitucional de 1954, las mujeres obtuvieron el derecho a elegir y ser elegidas y el 1o. de diciembre de 1957 pudieron votar por primera vez. Y en cuestiones civiles eran consideradas «menores de edad», y existía la llamada «potestad marital» mediante la cual la esposa estaba sometida en todo al marido. Apenas en 1932, con la ley 28, empezaron a cambiar las cosas. Y en cuanto a los derechos de los niños, en 1959 la ONU aprobó la declaración de los derechos del niño, derechos que apenas fueron reconocidos en la Constitución de 1991, a pesar de existir desde 1968 el Instituto Colombiano de Bienestar Familiar.

Tanto en materia constitucional, como civil o penal, los juristas colombianos han tratado de hacer justicia, pero llama la atención el que lo hayan hecho a paso de tortuga porque se necesitó todo el siglo XX para que, al menos teóricamente, se pudiera hablar de igualdad entre hombres y mujeres porque ya la igualdad práctica es otra cosa. Prueba de ello es que la Corte Constitucional en la sentencia C-082 del 17 de febrero de 1999, con ponencia del Dr. CARLOS GAVIRIA DIAZ (q.e.p.d.) habló del porqué el machismo impregnó la legislación colombiana y al respecto dijo:

«Tradicionalmente en nuestra sociedad, como en la mayoría de las sociedades actuales, el `paradigma de lo humano' se ha construido alrededor del varón. Es a él a quien se le atribuyen características socialmente valoradas como la racionalidad, la fuerza, el coraje, por oposición a la mujer a quien se caracteriza como irracional, débil, sumisa. Tal dicotomía en la construcción del género o, en otras palabras, los diferentes roles y estereotipos que culturalmente se han asignado al hombre y a la mujer, no han hecho nada distinto que generar una enorme brecha entre los sexos que, a su vez, ha dado lugar a la discriminación de esta última en los más variados campos. En especial, este trato al menos teóricamente diferente ha relegado a la mujer al espacio de lo privado, al de la fiel esposa, aquella que debe guardar sumisión frente al marido, "quien debe liberar al ciudadano de las preocupaciones y tareas del ámbito privado (el de la naturaleza) para que éste pueda dedicarse al ámbito de lo público (el de la cultura)"»

Filósofos y pensadores han hablado del papel de la mujer en la familia, la sociedad y el estado, y la Corte, en la sentencia ya citada, hace alusión a Rousseau, Kierkegard y Shopenhauer como algunos de los que impregnaron con la llamada filosofía patriarcal el ámbito social y cultural, reflejándose éste en las instituciones jurídicas. Pero, lentamente, a lo largo de todo el siglo XX fueron cambiando las cosas. Además de la Ley 28 de 1932 que les permitió a las mujeres manejar sus propios bienes; el Decreto 1972 de 1933 les permitió ir a la Universidad; la reforma constitucional de 1954 les reconoció derechos políticos y les permitió ejercer el derecho al sufragio; el Decreto 1260 de 1970 eliminó la obligación de llevar el apellido del marido, precedido de la partícula «de» como señal de pertenencia; el Decreto 2820 de 1974 acabó con la potestad marital que convertía a la mujer en incapaz relativo; el Decreto 1398 de 1990 reglamentó la Convención sobre eliminación de todas las formas de discriminación contra la mujer, suscrita por Colombia desde 1981, finalizando dichos cambios con la Constitución de 1991, que estableció la igualdad de derechos y oportunidades para el hombre y la mujer y prohibió cualquier clase de discriminación contra las mujeres.

Qué bonita esa teoría de la «igualdad de hombres y mujeres», pero si observamos casos aislados, vemos que la práctica no es tan bonita. Y a propósito de la manera como se aplican tales leyes teóricas se me ocurren varios casos: En primer lugar, lo ocurrido a una vecina nuestra y que cuento en mi relato *«Cuentos de horror»*. Posteriormente, en el 2014 o 2015, no recuerdo bien, una señora colombiana denunció al marido por golpearla a ella y a los hijos, o sea por «violencia intrafamiliar» como llaman eufemísticamente a esas palizas. El juez condenó al marido pero le dio **¡casa por cárcel!**

Por la misma época ocurrió otro caso de discriminación en contra de la mujer cuando fue elegido, por la Corte Suprema de Justicia de terna enviada por el Presidente de la República, como Fiscal General de la Nación el Dr. Luis Eduardo Montealegre. La parte teórica y bonita fue que el señor Presidente de la República, Juan Manuel Santos, envió una terna en la cual figuraban un hombre y dos mujeres que cumplían los requisitos constitucionales para el cargo. Se llevó a cabo el trámite correspondiente y fue elegido el varón y todo el país quedó muy contento porque se les había dado la oportunidad a las mujeres **¡y con ventaja!** de que se eligiera a una, pero no pasaron el escrutinio de la Corte Suprema de Justicia. **¡Machismo de la Corte!**, podría decirse. Pues no, machismo sí, pero no de la Corte, sino del Presidente de la República porque desde el 2009, cuando durante el gobierno del Dr. Álvaro Uribe Vélez fue necesario elegir Fiscal, **la Corte sentó jurisprudencia al respecto y dijo que el Fiscal General de la Nación tendría que acreditar especialidad en Derecho Penal,** así que lo lógico hubiera sido que los tres integrantes de la terna hubieran sido especializados en Derecho Penal, pero en la terna presidencial de Juan Manuel Santos sólo el varón tenía esa especialidad. Se concluye, pues, que así la igualdad de género aparezca tanto en la Constitución como en las leyes, ella no se hace efectiva **¡porque NO y punto!**

Pero el machismo de los legisladores colombianos no sólo perjudicó a las mujeres, la situación de los hijos y sobre todo de los hijos habidos fuera del matrimonio no era mejor, y también se necesitó todo el siglo XX para que se pudiera hablar de igualdad entre todos los hijos. Tímidamente en 1887 se dio el primer paso ya que la Ley 57 permitió que un hijo extramatrimonial, que entonces se llamaba «hijo natural», pudiera citar al supuesto padre ante el juez para que dijera si era o creía ser su padre, si el supuesto padre decía que no, terminaba el caso judicial, pero si decía que sí, ese hecho apenas sí autorizaba al juez a condenar al padre al suministro de alimentos. Apenas en 1936 con la expedición de la Ley 45 fue posible investigar la paternidad natural, pero sólo en los casos que tal ley consagraba, por ejemplo, si entre la madre y el presunto padre habían existido relaciones sexuales, pero se exigía que éstas fueran «notorias y estables». Si se lograba probar la paternidad, además de alimentos, los hijos «naturales» heredaban la mitad de lo que le correspondía a un hijo habido dentro del matrimonio.

Posteriormente la Ley 75 de 1968 o *«Ley de paternidad responsable, o Ley Cecilia»*, simplificó las exigencias de la Ley 45 de 1936 en el sentido de abolir algunas exigencias como la notoriedad y estabilidad de las relaciones sexuales. En cuanto a la discriminación odiosa de que los hijos naturales sólo podían heredar la mitad de lo que heredaba un hijo legítimo, apenas se corrigió con la Ley 29 de 1982. Hoy no existen diferencias y tanto los hijos matrimoniales como los extramatrimoniales y los adoptivos heredan en igualdad de condiciones. Por último apenas en este siglo XXI, se habló de una prueba científica como la investigación del ADN. A propósito de la investigación del ADN recuerdo que cuando el secuestro de Ingrid Betancourt y Clara Rojas, fue la investigación del ADN mitocondrial lo que permitió declarar la maternidad de la señora Rojas en relación con un bebé que por azares del destino había llegado a Bienestar Familiar.

Relato No.6
Operación venganza

Cuando pienso en «venganza», recuerdo la Batalla de los Campos Cataláunicos, pero no por la batalla en sí, sino por las palabras de Atila considerando la venganza como un derecho natural, y eso por un acontecimiento, no por silencioso menos dramático, que ocurrió por ahí en los años 80, no recuerdo bien la fecha, cuando después de planear durante veinte años una venganza, una niña del pueblo se cobró una ofensa que le habían hecho.

Esa niña era la más hermosa de Arenales, se llamaba Isabel Escobar Hurtado y era hija de don Antonio y doña Anatilde. Había nacido un lunes cuando el Sol andaba por los 14°48' de la constelación de Leo y por el horizonte asomaba la constelación de Libra, fija como su signo lo anunciaba, muchos intereses hogareños, cualidades de líder, mucha acción y mucho sentimiento, pero un planeta feral[20], Urano, y la luna negra en la casa 2 de los valores hacían de Isabel una niña muy fuerte, pero que no sabía manejar ni su dinero ni su libertad, no que fuera una mujer libertina, si no que no sabía qué hacer con su libertad y terminaba por hacer cosas raras, sólo por contrariar a los demás. Cada vez que la recuerdo, me estremezco de sólo pensar en cómo una obsesión puede embargar y amargar la vida de una persona. A Isabel la ofendieron en su primera juventud y ella dedicó años a planear una venganza, que finalmente logró materializar.

Ocurre que cuando la hermosa Isabel contaba unos quince años se ennovió con Hernán García Ortiz, un muchacho bien parecido de unos 16 o 18 años, hijo de Tomás y Mercedes, quienes tenían otros hijos y pasaban por ser una de las familias más ricas del pueblo. Como cualquier historia de amor que se respete, sobra decir que los padres de Hernán, y sobre todo doña Mercedes, no aceptaban tal noviazgo porque a pesar de que Isabel era hermosa como un amanecer, sus padres eran pobres, razón por la cual la familia ya tenía en mente la posible novia para su hijo.

Para evitar que los amores de Hernán e Isabel pasaran a mayores, tan pronto el muchacho terminó el bachillerato, lo enviaron para Estados Unidos en busca del cacareado «sueño americano», que para muchos se convirtió en la «pesadilla americana». Tan pronto Hernán logró

---

[20] Un planeta feral es un planeta inaspectado o que no recibe ninguno de los aspectos mayores, conjunción, sextil, cuadratura, trígono u oposición, convirtiéndose así en un punto focal de la carta, es un planeta en estado puro.

ver estampada en su pasaporte la visa que le permitiría coger el cielo con las manos se fue, después de jurarle amor eterno a Isabel y prometer que le escribiría.

Tan pronto Hernán llegó a Nueva York consiguió trabajo en una gasolinera y, muy juicioso, le escribía a Isabel, sólo que las cartas iban en el mismo sobre de las cartas a la mamá, pero nunca llegaron a su destino porque doña Mercedes pensando que Isabel a pesar de ser bonita era muy poca cosa para su hijo que ahora vivía en la capital del mundo, nunca le entregaba las cartas a Isabel, y tampoco enviaba las que ella le entregaba para Hernán.

Finalmente Hernán nunca volvió a escribir, pero Isabel con el corazón destrozado se vistió de luto y seguía escribiendo. Un par de años después se anunció la llegada de Hernán y doña Mercedes, con su mejor sonrisa de víbora, invitó a Isabel al aeropuerto de Esmeraldas para recibir al «novio». Isabel se puso muy linda y fue a recibir al «novio» y entonces, **¡horror de horrores!**, Hernán ni siquiera la saludó y ella vio, con dolor, cómo sonreían doña Mercedes y sus hijas y entendió que todo había sido una burla macabra.

Pero las cosas no terminaron así como así para Isabel. Gracias a doña Anatilde, la mamá de Isabel, me enteré del calvario que vivió su hija, y es que la hermosa Isabel se deprimió de tal manera que trató de suicidarse, y al no lograr su cometido se encerró, a duras penas se levantaba en las mañanas, apenas si comía, casi nunca se bañaba y empezó a caérsele el cabello y las uñas se le descascararon. Doña Anatilde me contó, muy en secreto, lo que pasaba con su hija, buscando mi consejo.

Por mi experiencia personal y «brujeril» sabía varias cosas: que no hay mal que dure cien años; que un duelo, de la clase que sea, dura unos seis meses; y, que existe un remedio universal para todos los problemas y es el «agua salada», como sudor, lágrimas o mar, es decir, que todo se cura llorando, trabajando o viajando y, eso fue lo que le aconsejé a doña Anatilde. Supongo que ella siguió mi consejo porque unos meses después supe que Isabel, como mucha gente del pueblo, se había ido para Estados Unidos. Se hizo residente y luego ciudadana y contrajo matrimonio pero nunca olvidó la burla de Hernán y su familia y dedicó mucho tiempo a planear su venganza.

Ni doña Anatilde, ni don Antonio, ni ninguno de los parientes o amigos supieron o intuyeron todo lo que pasaba en el interior de Isabel. Todo parecía normal. Y es que Isabel, como toda la gente del pueblo que había emigrado, trabajaba, cuidaba de su familia porque ya había tenido un hijo y disfrutaba de las mil cosas interesantes que ofrece Nueva York. Unos años después Isabel «pidió» a sus papás, quienes se radicaron en Miami porque no pudieron con el clima de Nueva York, entonces Isabel, su esposo y su hijo se fueron también a vivir a Miami.

Veinte años después de haberse ido para Estados Unidos, Isabel, más hermosa que nunca, volvió al pueblo. Estuvo un tiempo saludando a la familia y a los amigos y luego se volvió para el país del norte.

Pero algo pasó, y ese «algo» lo supe después por comentarios aquí y allí y, como siempre, atando cabos.

*****

Además de trabajar, estudiar por la noche y disfrutar los fines de semana, primero de Nueva York y luego en Miami, la hermosa Isabel dedicó mucho tiempo a planear su venganza porque no podía olvidar la humillación sufrida. Talvez lo que dice la Astrología clásica acerca de la importancia de la imagen para los Leo, es verdad porque a Isabel más que perder el amor de Hernán, le dolía la humillación pública.

Y para empezar, desde Miami, Isabel averiguó qué había pasado en la vida de Hernán. Efectivamente había contraído matrimonio con la novia escogida por los padres, se habían radicado en Esmeraldas, trabajaba en una entidad oficial y habían tenido un hijo. Claro que también estaba desencantado no sólo de la esposa, sino de la vida en Colombia y añoraba la vida bulliciosa y alegre de Nueva York, y hubiera hecho cualquier cosa para regresar, pero no tenía visa de ninguna clase, ni dinero para irse. Y además estaba el encarte de la esposa a la cual no podía abandonar porque los padres de ella ayudaban económicamente al sostenimiento familiar.

Enterada de la situación de Hernán, Isabel pensó y pensó, se devanó los sesos ideando un plan de venganza y, sin proponérselo, salieron a relucir, otra vez, sus cualidades de Leo porque su venganza tenía que herir el ego de Hernán. Y ¿qué era lo más importante para Hernán, no cuando él era un muchacho, sino en este momento de su vida?. Y concluyó que el punto débil de la casi totalidad de los hombres tiene que ver con el sexo porque todos se creen «machos perfectos», todos se creen seductores y viriles, todos se creen irresistibles, así que su venganza tenía que atacar ese punto y, finalmente, logró concretar un plan.

Lo primero fue prepararse y esa preparación incluía ponerse más hermosa de lo que ya era, tenía que estar irresistible. Para empezar bajó un par de kilos que había subido, sudo de lo lindo en un gimnasio, renovó su guardarropa, gastó un dineral en el salón de belleza y cuando ya estaba preparada le escribió una carta muy linda, al objeto de su venganza, recordándole el amor de la primera juventud, sin hacer alusión alguna a la humillación sufrida veinte años antes y haciendo, muy discretamente, planes para el futuro. Sobra decir que Hernán aburrido como estaba vio en Isabel la tabla de salvación que necesitaba porque como ella ya era ciudadana, fácilmente podía darle la residencia que necesitaba para regresar a Estados Unidos.

Tan pronto Isabel regresó, se vieron muchas veces e hicieron planes para el futuro, cumpliendo el plan de la «operación venganza» cuidadosamente ideado y acariciado durante veinte años. Isabel lo citaba principalmente en horas laborables y cada vez Hernán faltaba más al trabajo, pero eso no importaba ya que se estaban dando pasos para un posible matrimonio y viaje a Estados Unidos. Y el primer paso fue hablar con don Tomás y doña Mercedes. Isabel fue muy deferente con la señora, no se habló del pasado, sólo del futuro, a pesar de que por dentro Isabel la maldecía. Preocupada doña Mercedes le dijo a Isabel:

—Pero es que Hernán está casado y tiene un hijo. A lo cual respondió Isabel:

—No se preocupe doña Merceditas, nosotros hemos pensado en todo y, como usted sabe, cualquier matrimonio se puede desbaratar legalmente, no pensamos hacer cosas raras o ilegales ni hacerle daño a nadie pero, después de tantos años de separación, tenemos derecho a estar juntos, no le parece.

—Sí, y yo les deseo toda la felicidad del mundo, —respondió doña Mercedes.

Todo estaba ocurriendo como Isabel lo había planeado. Hernán consiguió un abogado y en Bienestar Familiar le fijaron una cuota de alimentos para el niño, pero cuando le habló del divorcio a la esposa, ésta le tenía la «buena noticia» de un segundo embarazo, gracias al tratamiento de fertilidad que habían estado haciendo antes de la llegada de Isabel, en un intento por rescatar un matrimonio que ya «hacía agua». Ante la noticia la esposa se desmayó y Hernán prometió parar el divorcio, pero siguió adelante. En vista de las circunstancias, se imponía agilizar el divorcio y el matrimonio con Isabel, una vez se concretará el divorcio de ella en Estados Unidos.

Llegados a este punto, Isabel le pidió a Hernán que fueran a un motel, finalmente iban a ser marido y mujer, así que no tenía importancia adelantar la luna de miel. Al llegar al motel Isabel se mostró tímida y un poco asustada, pero consiguió que él se quitara la ropa. Entonces le dijo:

—Mírese y míreme, usted si cree por un momento que yo me voy a acostar con usted o que me voy a casar. Yo soy mucha mujer para un hombre como usted. Y cogiendo la ropa del «galán apachurrado» y desconcertado, salió corriendo del motel y tomó el taxi en que una amiga la esperaba, dejando desnudo y aterrado al hombre que veinte años antes la había humillado.

Isabel llamó a la esposa y a la mamá y les dijo dónde podían encontrar a Hernán y ¡lo que opinaba de sus atributos sexuales!. Días después llegó un paquete con la ropa perdida, mientras Isabel seguía su vida en Miami. Hernán perdió el trabajo por haber faltado en varias oportunidades y la esposa tuvo un aborto y ya no volvió a embarazarse, y aunque nunca se divorciaron, sus relaciones se enfriaron tanto, que todos en el pueblo lo notamos.

Años después Isabel me contó lo ocurrido y noté que aquello no la había hecho feliz, y es que Isabel no sólo era hermosa por fuera, también por dentro y le dolía la venganza consumada, no importa que tanto doña Mercedes como su hijo fueron y siguen siendo egoístas. Tanto en el pasado como ahora no pensaron en las consecuencias de sus actos y en ambas situaciones una mujer sufrió. Siempre la mujer enamorada. Primero Isabel y luego la esposa de Hernán. ¡Que fácil fue para ellos solucionar su vida pasando por encima de alguien!. Y es que la gente, al pasar por encima de alguien, tiene la falsa idea de que está consiguiendo lo que se había propuesto, pero la historia de la hermosa Isabel y su venganza me enseñó que tal vez eso no es del todo cierto. Es mejor perdonar y seguir adelante y en cuanto a pasar por encima de los demás para lograr un propósito, es bueno recordar que la vida da muchas vueltas y como dice la sabiduría popular: «Ten cuidado a quién pisas al subir porque es la misma persona que te encontrarás al bajar»

Reflexiones acerca de la justicia y la venganza

Atila, el rey de los Hunos, consideraba la venganza, un derecho natural.

Tal vez resulte un tanto incongruente reflexionar acerca de la justicia juntándola con la venganza, pero si se piensa, desapasionadamente, se encuentra que la venganza lleva en sí algo de justicia, la persona que hace a alguien objeto de una venganza cree estar haciendo justicia, por eso los límites entre la justicia y la venganza son tan confusos.

¿Y qué es la justicia?

Se puede definir la justicia desde el campo de la Teología, de la Filosofía, de la Política o de la Historia, pero la definición más simple y tal vez la más acertada nos viene de los romanos, quienes decían que justicia es *«dar a cada uno lo suyo».* Y así como los griegos inventaron la Filosofía tratando de encontrar la verdad, los romanos inventaron el Derecho en su afán por hacer realidad ese ideal de justicia.

Y desde los griegos y los romanos, los seres humanos llevamos siglos reflexionando y buscando la justicia, con la mala suerte de que la única posibilidad buena de entender qué es la Justicia, desde el campo de la Filosofía, se perdió definitivamente con los griegos porque ni los romanos, ni el Cristianismo aportaron nada nuevo al debate. Los romanos crearon el Derecho e inventaron el «justo legal», que no es la Justicia como ideal eterno, sino una sombra desdibujada y cambiante. Tampoco la Moral Cristiana que lo único que hizo fue trasladar el problema de la justicia a Dios, ya lo decía el salmista, *«La Justicia ha mirado desde lo alto del cielo»*[21], luego habría que concluir que el hombre es incapaz de concebir, entender y obrar con justicia.

Hay que reflexionar mucho para poder asumir una posición justa. Los griegos no pudieron y se inventaron la **EQUIDAD**, que es algo así como **«una justicia más justa»**. Me viene a la memoria como ejemplo de equidad, lo que dicen que hizo Simón Bolívar con un soldado que desertó frente al enemigo y a quien se ordenó fusilar al amanecer; esa noche llegaron dos ancianos y le explicaron al General que su hijo había desertado para no dejarlos abandonados y en la miseria; entonces Bolívar, después de ordenar abrir la fosa, dirigió personalmente la ejecución, sólo que en medio de las brumas del amanecer envió al soldado a cuidar a sus ancianos padres, ordenó disparar al aire los fusiles y una pesada piedra cayó en la fosa.

---

[21] Salmo 84, versículo 12.

Frente a la toma de una decisión cualquiera, podemos concluir que nuestra posición es justa, tal vez porque nos creemos justos, pero ¿esa decisión es equitativa?, ¿si?, ¿no? ¡Quien lo puede saber! Pero nosotros, herederos de los Romanos y del Cristianismo, tenemos dos armas poderosas, el Derecho y la Moral Cristiana, el primero nos da, como ya lo dijimos, una sombra desdibujada y cambiante de la justicia y la segunda, por boca del mismo Jesús de Nazaret, que había leído los Salmos y sabía que, si bien la Verdad puede brotar de la tierra, la justicia apenas mira desde lo alto del cielo, y nos dejó en el Evangelio como fórmula de justicia el amor y la misericordia, por eso nos ordenó: *«Amar al prójimo como a nosotros mismos»*[22].

Y en cuanto a la venganza, desde siempre hemos oído que la venganza es de Dios, según se lee en la Biblia[23], y según el Diccionario Larousse *«la venganza consiste en el daño o agravio infligido a alguien como respuesta o satisfacción a otro recibido de él»* porque la venganza lleva en sí algo de justicia.

Si hojeamos las páginas de la historia encontramos que la primera forma de justicia fue la venganza privada, pero cuando los seres humanos se dieron cuenta que tal venganza era caótica y causaba más daño que justicia, le introdujeron una medida y la fórmula de esa medida la encontramos en la Biblia: *«ojo por ojo y diente por diente»*[24]. Pero dicha medida tampoco resultó muy buena porque, a veces, a los agraviados o a los

---

[22] Mateo 22-39 y Marcos 12-31.

[23] Deuteronomio, capítulo 32, versículo 35.

[24] Éxodo 21-24.

encargados de aplicar dicha justicia, se les «iba la mano» y en lugar de hacer justicia se cometían injusticias y fue necesario cambiar «el ojo por ojo...» y pasar a un sistema diferente llamado «de compensación», puesto en marcha por terceras personas, diferentes a los propiamente agraviados, y consistente en darle un valor al perjuicio ocasionado, valor que debía cancelar el culpable. Pero éste también mostró imperfecciones porque esas terceras personas, los sacerdotes o los ancianos de la tribu, no dejaban de estar influenciados por sus creencias o por su pertenencia a la tribu agraviada o por intereses de la más diversa índole. Entonces, lentamente, se fueron creando leyes punitivas y cuerpos especializados que se encargaban de aplicar esas leyes, pero igual se cometían injusticias, así que se pensó que si se combinaban los dos últimos sistemas, de pronto se cometerían menos injusticias y se crearon los jurados de conciencia o personas que aportaban a la fría y casi deshumanizada aplicación de las leyes penales, el punto de vista de seres humanos comunes y corrientes. Pero ¡qué tristeza! éste tampoco ha resultado ciento por ciento confiable, así que se hizo una variación y hoy, en casi todos los países civilizados, se reserva el sistema de los jurados de conciencia como auxiliar de los jueces especializados y para casos puntuales, mientras la mayoría de los delitos son juzgados sólo por jueces comunes.

Y ya en el caso colombiano, ni en el Código Penal de 1890, ni en los de 1936 y posteriores, leemos algo acerca de la venganza, pero llama la atención que en el de 1890 se abre la puerta a la venganza para usarla como agravante o como atenuante tanto por el juez como por fiscales o abogados defensores al prescribir que además de los atenuantes y agravantes expresamente señalados, se podrán tener como tales aquellas circunstancias análogas, plenamente probadas, así que si el juez o el abogado saben manejar el discurso, pueden utilizar la venganza como quieran o como atenuante o como agravante. Y en relación con la tipificación de los delitos, tampoco dice nada en forma explícita, pero sí se abre el camino para que la venganza juegue algún papel en ella. ¿Será que la venganza cabe dentro de las circunstancias de menor punibilidad por constituir motivo noble o altruista o emoción o pasión excusable?, ¿o será que la venganza se puede subsumir en la ira y el intenso dolor? Considero que es posible, habría que analizar cada caso en forma individual y, tal vez, disfrazar la venganza como *«ira, intenso dolor, motivo noble o emoción o pasión excusable»*.

Y a propósito de la venganza me impresiona especialmente pensar que hubo quien consideró la venganza como un derecho natural, y me refiero a Atila, el rey de los Hunos, arengando a sus soldados antes de la Batalla de los Capos Cataláunicos ocurrida el 20 de junio de 451. Batalla que fue, a mi modo de ver, una de las más importantes de la Historia Universal, como que fue la verdadera Primera Guerra Mundial porque los Romanos junto con los Visigodos, Francos, Alanos, Burgundios y Sármatas, pueblos bárbaros que dieron origen a los países europeos tal como los conocemos hoy, al mando del general romano Aecio, debieron enfrentar a los Hunos comandados por Atila. Esta batalla es especialmente recordada porque enfrentó dos ejércitos muy parejos y, si bien, leemos que los romanos vencieron, la verdad es que no hubo propiamente un vencedor ya que Aecio dejó ir a Atila y su ejército cuando pudo haberlos rematado.

Lo que más impresiona de esa batalla son las arengas de Aecio y de Atila a sus soldados porque mientras el romano Aecio les decía:

> «*¡Legionarios! Vosotros sois la última esperanza para un imperio que ha iluminado al mundo por más de 500 años. ¡No dejéis que la barbarie llegue a conquistar nuestra sagrada ciudad! Yo os prometo que moriré en este campo antes de verme derrotado. ¡Luchad por la grandiosa Roma de la que sois los últimos soldados valientes!*»

Cuenta la historia que Atila les decía a los suyos:

> «*¿Hay algo más dulce para un hombre valiente que obtener la venganza por su propia mano? Es un derecho de la naturaleza alimentar el alma con la venganza. Porque cuando se cortan los tendones, las extremidades enseguida se relajan. Dejad que emerja vuestro coraje y que explote vuestra furia. Que los que no estén heridos se recreen en la matanza del enemigo. ¿Por qué les ha hecho la fortuna a los Hunos vencedores sobre tantas naciones a menos que fuera para prepararlos para el gozo de este conflicto?*».

Que tales arengas se hubieran dado o no, no importa, lo verdaderamente importante es que nos permite, hoy, reflexionar acerca de algo tan serio como la venganza. ¿Será que, como decía

Atila, la venganza es un derecho natural y los seres humanos somos vengativos por naturaleza? Los orígenes remotos de la idea del derecho natural los encontramos en Platón y fue Marco Tulio Cicerón, el jurista romano, uno de los primeros en hablar del Derecho Natural como la serie de normas comunes a todos los seres humanos, anteriores y superiores a las leyes y al derecho escrito. Pero ni él, ni ninguno de los pensadores siguientes se atrevieron a decir que la venganza pudiera estar entre esos derechos naturales, más bien hablaron del derecho natural para concluir que si un sistema de derecho escrito es contrario a esas normas no escritas, comunes a toda la humanidad, es un derecho que pierde legitimidad. De la tesis del derecho natural surgió el llamado «iusnaturalismo», escuela según la cual la validez de un sistema jurídico depende de la justicia, según ellos si una ley es injusta, no es verdadera ley.

¿Será verdad que existe una *«serie de normas comunes a todos los seres humanos, anteriores y superiores a las leyes y al derecho escrito»?* Parece que sí, según se afirma en la serie *«Redes»* de televisión española, en un capítulo que titularon *«El innatismo de la moral»* y lo innato no son sólo los comportamientos «buenos» como la compasión y el amor, también los no tan buenos como la venganza son innatos porque han ayudado a la humanidad a sobrevivir al estrechar los lazos tribales.

¿Y qué dice la Astrología acerca de la justicia y la venganza?

En relación con la justicia, podemos decir que para la Astrología clásica, Júpiter simboliza la justicia, luego el signo más justo debería ser Sagitario porque Júpiter es su regente, pero, como lo he dicho muchas veces, para saber cómo es una persona, es necesario analizar toda su carta astral y, aun así, corremos el riesgo de equivocarnos porque, según la ciencia moderna, la Astrología no es muy confiable.

Y en relación con la venganza, en forma unánime los seguidores de la Astrología clásica señalan a Escorpión como el signo más maléfico y proclive a la venganza. Personalmente creo que hay personas vengativas de todos los signos, lo que sí cambia es la manera de vengarse. Aries es explosivo y ante una ofensa reaccionará en forma rápida y violenta, Tauro lo pensará con más calma y los signos de agua, Cáncer, Escorpión y Piscis sufrirán profundamente mientras planean su venganza. En general creo que los signos de fuego se vengarán en forma explosiva, los de aire tramarán su venganza, los de tierra, buscarán una venganza práctica, mientras los de agua prepararán con tiempo su venganza.

Antes de la venganza de Isabel, la niña de mi relato No. 6, estaba un poco de acuerdo con Atila y creía que la venganza es un derecho natural porque tiene mucho de justicia, que es ruin pero dulce y que, según el escritor francés Pierre Choderlos de Laclos *«es un plato que se sirve frío»*, pero hoy, cuando han pasado muchos años después de aquellos hechos, he concluido que todo eso puede tener algo de verdad pero, definitivamente, la mejor venganza es ser feliz, ya la vida cobrará porque casi siempre cobra.

Relato No.7

«Matrimonio por conveniencia»

En la calle del Viacrucis, llamada así porque era la ruta que seguía la procesión del Viacrucis en Semana Santa, en una casa de dos plantas vivía Felipe Castro Rodríguez, hijo único de don Pedro y doña María Elena. La familia Castro Rodríguez era una de las familias ricas del pueblo y Felipe era un muchacho bien parecido, muy inteligente, que había terminado bachillerato en Esmeraldas y en 1955, cuando llegué a Arenales a empezar el bachillerato, oí a mis compañeras hablar de Felipe con cierta admiración, no sólo por sus cualidades personales, sino porque pensaba irse para Bogotá a estudiar Medicina y efectivamente al año siguiente viajó a Bogotá y años después regresó al pueblo como médico. Hasta ahí todo bien, pero alguien me contó que Felipe había tenido un problema y había estado preso.

Eso despertó mi curiosidad y se me ocurrió levantar su carta natal. Felipe había nacido en 1936, un domingo, cuando por el horizonte asomaba la constelación de Virgo y el Sol andaba por los 18°12' de la constelación de Piscis. El signo solar habla del yo profundo, dice cómo es la persona, mientras el ascendente o el signo que sale en el horizonte, en el momento del nacimiento, dice cómo aparece la persona ante el mundo, en otras palabras, cómo la ven los demás. Así las cosas, Felipe era una persona espiritual, bondadosa y compasiva pero altamente influenciable con tendencia a refugiarse en el autoengaño, un tanto cobarde con temor a los enfrentamientos y era visto por los demás como una persona detallista y servicial pero reservado en cuanto a sus sentimientos. Seis puntos de tierra, diez de mutabilidad, seis de intereses hogareños y 6 de intereses trascendentales lo hacían una persona práctica, buena para trabajar a órdenes de un buen líder y con Dios y la familia como horizonte en su vida.

Nada de lo que vi a primera vista en su carta natal me aclaró las causas del problema que había tenido en Bogotá, tal vez el hecho de ser Piscis presagiaba una clase de reclusión como en una cárcel o en un convento o tal vez una evasión por medio de drogas, pero de resto parecía una persona común y corriente, así que, como siempre, me las ingenié para averiguar chismes aquí y allá y atando cabos logré entender lo que había pasado con Felipe en Bogotá.

*****

En 1956 Felipe viajó a Bogotá porque había sido admitido en la Facultad de Medicina de la Universidad Nacional. Vivía como muchos estudiantes en las Residencias Universitarias y pronto se hizo un grupo de amigos y los fines de semana iban a parrandear y se tomaban unos traguitos. Y fue así como Felipe conoció a Carina, una muchacha de unos dieciocho años que trabajaba como «copera» en una cantina que quedaba cerca de las residencias y terminaron «enredados» en una relación de esas con pasión y sentimiento, pero sin futuro porque Felipe pensaba en cualquier cosa menos en casarse con ella.

Carina, cuyo verdadero nombre era María Lucía era una jovencita hermosa de piel trigueña, grandes ojos oscuros y cabello negro, oriunda de una vereda ubicada en el municipio de San Antonio, cerca de Bogotá y como tantas jovencitas campesinas que trabajaban de sol a sol, se dejó obnubilar por las luces de la capital y creyendo que era muy fácil conseguir trabajo y salir adelante, cayó en las manos de un proxeneta y terminó como prostituta en las noches y copera en el día, trabajo diurno que le permitía conseguir clientes. Y por supuesto que «el salir adelante» cada vez estaba más lejos porque apenas si ganaba para pagar la pieza donde vivía y desarrollaba su trabajo nocturno y para mal comer porque «el patrón» se quedaba prácticamente con las ganancias.

Un buen día conoció a Felipe y charlaron varias veces en el café donde ella trabajaba y una noche que él la acompañó hasta la pieza de alquiler donde ella vivía, terminaron haciendo el amor «sin acuerdo de pago» porque, al parecer, Felipe no sabía nada del trabajo nocturno de Carina, o se hizo el loco, lo que fuera, no importaba porque la pobre María Lucía se había enamorado y a partir de entonces se enredó en una maraña de mentiras y disimulos y, como si fuera poco, de hambre porque en las noches que pasaba con Felipe, el dinero para el proxeneta salía de lo que ella ganaba en el café.

Pero como tarde o temprano las mejores mentiras terminan por caerse, alguna vez Felipe la encontró con un cliente y completamente ciego de rabia y de celos, la agredió de tal manera que la pobre muchacha terminó en el hospital y Felipe en la cárcel. Alguien le dijo que si se casaba con ella, las autoridades pararían el asunto y pensando en su carrera, en su familia y en el terror que le producía pensar en que pasaría varios años en la cárcel, Felipe terminó casándose con Carina que ahora aparecía como María Lucía Ortiz Moya. Sobra decir que tal matrimonio no paró el proceso que se le seguía por lesiones personales y, por supuesto, tampoco pudo evitar que su familia se enterara del asunto. Efectivamente la familia se enteró. No es fácil estar recluido en una cárcel y pensar que nadie lo va a saber y, más aún, que uno no va a necesitar de nadie después de estar en semejante problema.

Es que ir a estudiar a la capital implicó mucho sacrificio de su familia porque a pesar de que fueran ricos, una carrera universitaria resultaba algo costosa para la época. No era justo que todo terminara en semejante pesadilla. Tal vez no estaba enamorado, muy entusiasmado sí, y por la educación recibida, lo ocurrido constituyó un agravio tan grande que perdió la cabeza y fue imposible evitar la agresión que lo llevó a la cárcel. Así las cosas no tuvo otro camino que recurrir a su propio padre, que al llegar a Bogotá se encontró una situación completamente absurda, un hijo en la cárcel y además casado con una prostituta buscando liberarse de la pena por el delito cometido. Definitivamente esto no era lo que el padre esperaba de su hijo.

El papá consiguió un buen abogado y logró que le permitieran a su hijo salir a clases y volver todas las noches a la cárcel. Y Felipe logró terminar carrera, mientras la esposa prostituta dejó el trabajo y se portó como un ángel con Felipe.

*****

¿De dónde salió esa idea peregrina de casarse para evitar la cárcel?

Pues de una mala interpretación del inciso segundo del artículo 724 del Código Penal de 1890 que había perdido vigencia desde 1936 y que decía, palabras más, palabras menos, que cuando un hombre seducía a la novia se escapaba de ir a la cárcel si se casaba con ella. Pero esa misma exculpación no existía en el caso de lesiones personales que era el delito cometido por Felipe. Según me comentó un amigo de la familia, el día del grado, en medio de la fiesta que le hicieron los amigos, la esposa le dijo:

—Te voy a dar el mejor regalo de grado que alguien te pueda dar.

Acto seguido, entró a la alcoba y cuando todos esperaban verla aparecer en la sala con un paquete en las manos, se oyó un tiro y encontraron a la esposa muerta. Se había suicidado.

Una vez terminada la carrera de Medicina, Felipe regresó al pueblo, pero tan cambiado que parecía otra persona. Del muchacho espiritual, bondadoso y compasivo que había salido del pueblo lleno de ilusiones y proyectos seis años antes, quedaba muy poco, era un hombre triste y silencioso.

Reflexiones acerca del amor, el desamor y la felicidad

Existen muchas definiciones del AMOR porque existen muchas clases de amor, desde el amor de la madre, hasta el amor de pareja, pasando por el amor de los hermanos, la amistad y el patriotismo, sin olvidar el amor a Dios, a los animales, a las cosas o a las ideas.

Refiriéndonos al amor de pareja, dice el escritor español Enrique Jardiel Poncela que «*el amor es la máscara con que el instinto se tapa la cara*» y parece que eso es cierto porque según estudios científicos modernos no es verdad eso de que se quiere con el alma o con el corazón, la verdad es que se quiere con el cerebro porque no se puede olvidar que el cerebro es la máquina que le ha permitido a los seres humanos evolucionar a través de muchos millones de años, luego hay que concluir que el amor es uno de los mecanismos de que se ha valido el cerebro para que no desaparezcamos del planeta, y para que hayamos pasado de primates a seres humanos. Parece pues que Jardiel Poncela estaba en lo cierto.

A pesar de que cuando nos enamoramos creemos que será para siempre, la verdad es que los amores eternos no existen y cuando se acaban nos dejan un dolor en el alma, cuando no en el cuerpo y en las finanzas, si quien un día dijo amarnos nos dio «garrote» y nos «robó», antes de irse con otra, o con otro, o solo y con nuestro dinero y nuestros sueños de cenicienta trasnochada. Pero es necesario olvidar y seguir adelante.

Y si pudiéramos olvidar en un abrir y cerrar de ojos, santo y bueno, aunque los sueños y la vida compartida sigan ahí, como una marca que no se borra y que a veces duele, con el dolor de los amores que pudieron ser y no fueron porque talvez nuestra cobardía o su inconstancia o mil cosas más desbarataron esos sueños, dejándonos en la boca el sabor agridulce de los besos que se nos marchitaron con la ausencia, o porque talvez, como dice Khalil Gibrán en *«El profeta»*: *«...sólo buscábamos la paz del amor y el placer del amor, olvidando que así como el amor nos corona, también nos crucifica, y que sus caminos son agrestes y escarpados...»*[25]

Los psicólogos dicen que una persona, más o menos normal, necesita seis meses para hacer un duelo, duelo que consta de tres etapas: una primera etapa de desconcierto e incredulidad en la cual tratamos de encontrar una explicación a lo sucedido y culpamos a todo el mundo por lo ocurrido, una segunda etapa de melancolía en la

---

[25] Gibran, Jalil (1883-1931). Escritor libanés en lenguas árabe e inglesa. Su obra más conocida es *«El Profeta»*.

cual nos deprimimos y lloramos y, una tercera etapa de reconstrucción en la cual aceptamos la pérdida y seguimos adelante. O como dije en mi relato #6, utilizando el **«agua salada»**, que es el mejor remedio para el mal de amores y, prácticamente, para cualquier problema.

¿Y qué dice la Astrología acerca del amor?

Mucho, pero como he dicho más de una vez, los aciertos de la Astrología son más o menos de un 10%, es decir lo mismo que se esperaría por azar. Según la Astrología, el amor de pareja se estudia en la casa 7, los amoríos en la casa 5, el amor a los hermanos en la casa 3, el amor a la familia o a la patria en la casa 4, la amistad y el amor a los demás en la casa 11. Y desmenuzando los componentes del amor de pareja, la Astrología clásica considera que los signos más eróticos son Escorpión y Tauro; los más fieles, Leo, Escorpión y Capricornio; los más celosos, Tauro, Aries y Leo; los más tiernos, Cáncer y Piscis; y, los más comprensivos, Libra, Sagitario y Virgo. Según esto, todos los seres humanos estamos en capacidad de ofrecer amor a los demás, no olvidemos que somos seres sociales y vivimos en comunidad y la comunidad sólo es posible si existe alguna forma de amor.

Y como todos los seres humanos buscamos la felicidad, hemos creído que el amor es el camino que nos llevará a ella.

¿Será que existen unos signos más felices que otros?

Personalmente creo que para poder hablar de personas felices o justas o exitosas desde el punto de vista astrológico, no sólo hay que ver el signo, que algo puede decirnos, es necesario estudiar toda la carta natal de una persona, sin olvidar los elementos[26] o mejor la cantidad de cada elemento fuego, tierra, aire o agua en cada carta. También es importante analizar los aspectos[27] presentes en la carta para concluir si esa persona será feliz o no, ya que todos los signos tienen cosas buenas y cosas malas, dependiendo de lo que indique la carta. Ateniéndonos a lo que dice la Astrología clásica, Júpiter y Venus son planetas felices mientras Saturno es frio y aburrido, luego Sagitario, Tauro y Libra regidos por Júpiter y Venus serían los signos más felices, mientras Capricornio sería triste y aburrido, pero la verdad es que todos conocemos gente feliz o infeliz de cualquier signo, así que los signos o los planetas por sí solos, no nos sirven como parámetro para saber si una persona puede ser feliz o no, es necesario estudiar toda la carta para dictaminar acerca de las posibilidades de felicidad de alguien. Pero, insisto, es necesario analizar los planetas presentes en cada casa y los aspectos que forman, para concluir para qué clase de amor está predispuesta una persona, si para amar a Dios, al dinero, a sí misma, a la familia o a los demás.

Según Laotzé[28] «*No hay un camino a la felicidad, la felicidad es el camino*». Y es que la felicidad es algo tan etéreo y para lo cual existen todas las definiciones y todos los estudios que termina uno por no tener una idea clara de la

---

[26] Los signos del zodiaco se dividen en signos de fuego, de tierra, de aire o de agua.

[27] Al hablar de Astrología dijimos qué es un aspecto. De los aspectos, el trígono y el sextil parecen aportar felicidad, no así la cuadratura y la oposición.

[28] Filósofo chino que vivió entre los siglos VI y V antes de la Era Cristiana. Según la leyenda es el autor del libro titulado «*Tao-Te-King*», texto que dio origen al Taoismo.

felicidad y menos de saber qué es o en qué consiste la felicidad.

Por ejemplo, todos hemos oído decir que «*La felicidad no está al final del viaje, sino a lo largo del camino*» porque no hay fórmulas mágicas para la felicidad ya que la felicidad es cuestión de voluntad y que si uno quiere ser feliz, sólo tiene que ser feliz.

Según un estudio sobre la felicidad de los grupos humanos hecho en Europa se afirma que el grupo humano más feliz es el de los hombres casados, en segundo lugar, el de las mujeres solteras, en tercer lugar, el de las mujeres casadas y, en cuarto lugar, el de los hombres solteros, es decir, que los hombres son más felices casados que solteros, mientras las mujeres son más felices solteras que casadas. Se trata de un estudio muy interesante, pero a mi modo de ver faltó analizar la felicidad de otros grupos, como el de los hombres divorciados y las mujeres divorciadas porque según mi experiencia y lo poco que he podido ver de otras personas, el grupo humano más feliz es el de las mujeres divorciadas, pero alguien me dijo que eran más felices las viudas porque el enemigo está bajo tierra.

En «*Redes*», una serie de televisión española de divulgación científica, se afirma que en general, las mujeres son un poco más felices que los hombres y en cuanto al estado civil parece que la felicidad de los casados y de los solteros de ambos sexos, depende más que de su estado civil, del dinero que se tenga, del trabajo, de la salud y de las necesidades satisfechas.

En cuanto al dinero parece ser que hay un límite que marca esa felicidad y ese límite, en Estados Unidos, es $70.000 dólares al año, por debajo o por encima de esa suma, disminuye esa felicidad, así que más plata no trae necesariamente más felicidad, aunque como ya lo dijo Pambelé, un boxeador colombiano *«siempre es mejor ser rico que pobre»*.

En cuanto a la edad, parece ser que entre los 26 y los 35 años y entre los 60 y 70 años es cuando las personas son más felices, mientras que la mayor infelicidad se registra entre los 15 y los 25 años y entre los 36 y los 45 años. Y es que la infelicidad entre los 15 y los 25 años tiene que ver con la adolescencia y primera etapa de la juventud porque esos años constituyen nuestra verdadera adaptación a la vida como seres humanos y eso no es fácil; de los 26 a los 35 años, nos estrenamos como seres humanos y luchamos para hacernos un lugar en el mundo, es la época en la cual creemos que nada nos queda grande, que somos capaces con todo y por ende somos felices. Luego, entre los 36 y los 45 años, como que aterrizamos y nos damos cuenta, con dolor, que no lo podemos todo, que hay cosas que nos quedan grandes y no somos tan felices. Luego cuando empezamos a envejecer, racionalizamos y aceptamos nuestras incapacidades, es entonces cuando volvemos a ser felices. Y hablando de países, parece ser que los más felices son los del Norte de Europa entre otras cosas por tener una buena seguridad social, estabilidad familiar y laboral

Acerca de la felicidad dice un proverbio japonés: *«Si quieres ser feliz un día, emborráchate; si quieres ser feliz una semana, cásate; pero si quieres ser feliz toda la vida, hazte jardinero»*. Pero la fórmula que más me gusta es la del Budismo: *«La felicidad no está en tener todo lo que se desea, sino en no desear nada»*.

Relato No.8

Aquelarre de lesbianas

Amo a Arenales, mi pueblo, pero ese amor no me ciega y puedo ver los fundamentalismos, elitismos y problemas mentales de muchos de sus habitantes. Y digo esto por los comentarios suscitados porque un grupo de mujeres mayores nos reuníamos todos los jueves a tejer, oír música, contarnos «chismes inocentes» y tomar chocolate con «pandebono» que luego cambiamos a té con pastelitos. Nosotras hablábamos del «club de los jueves» pero en el pueblo hablaban del «aquelarre de las lesbianas».

Pertenecíamos al club de los jueves Aurita, Dora, Ester, Cristina y yo, todas mayores de cincuenta y cinco años que habíamos sido compañeras en el colegio de las monjas. Después de salir del colegio, algunas, terminada la primaria y otras terminado el bachillerato, seguimos rumbos diferentes, pero de vez en cuando nos encontrábamos en el pueblo. Yo fui la única que continuó viviendo en Arenales, las demás se fueron a vivir a Esmeraldas, pero terminaron por volver al pueblo porque enviudaron o se pensionaron, y como todas habíamos heredado las casas familiares, nos reencontramos y rehicimos los lazos de amistad de la juventud.

Normalmente nos reuníamos en la casa de Aurita que es una casa grande, ubicada en el marco de la plaza, dos pisos, muchas matas en el corredor interior, habitaciones grandes con camas tendidas con colchas tejidas esperando a los hijos que viven en Estados Unidos y que, una o dos veces al año, van al pueblo para visitar a la mamá y llevarle hermosos regalos del «primer mundo».

Aurita no terminó el bachillerato porque contrajo matrimonio con un empleado de la Caja Agraria de Esmeraldas y, al enviudar, regresó al pueblo. Dora nunca se casó. Cuando salimos del colegio hizo un curso de Contabilidad y Secretariado y, gracias a unos parientes que tenía en Bogotá, consiguió trabajo en las oficinas centrales de CAJANAL, luego consiguió un traslado para Esmeraldas, donde trabajó hasta pensionarse y, cuando murieron sus padres en el pueblo, regresó para vivir en la casa paterna con una hermana mayor, divorciada y que tenía varios hijos. Ester inició pero no terminó enfermería en la Universidad de Restrepo y se casó. Cristina estudió Pedagogía y trabajó hasta pensionarse en el instituto Esmeraldas, contrajo matrimonio y al enviudar decidió regresar a Arenales y comprar casa en la calle de la Cruz. Finalmente yo era «la bruja del pueblo» y vivía en la casa que había sido de mis abuelitos y luego de mi mamá y que quedaba frente al cementerio. Total tres viudas, una «solterona» y una divorciada que era yo.

Éramos cinco mujeres de edades similares, oriundas del mismo pueblo, ex-alumnas del mismo colegio, con unas aficiones semejantes y sin embargo tan diferentes, sobre todo en lo que se refiere a mí, porque mientras mis amigas —a quienes quiero, admiro y respeto— eran mujeres amantes de todo lo tradicional, católicas, un poquito «machistas» y escépticas en relación con mi trabajo, yo era atea y bruja. A pesar de todo lo que nos separaba, el amor a las manualidades y el deseo de aprender cosas nuevas nos hermanaba, y las reuniones en el club de los jueves constituían, no sólo una fuente de alegría, sino también algo así como una sesión de psicoanálisis porque todas terminamos por contar las verdades escondidas allá en lo más hondo de nuestros corazones.

*****

El «club» empezó cuando Aurita, que hacía pocos días había regresado al pueblo después de la muerte de su esposo en Esmeraldas, me invitó a tomar el «algo» en su casa. El jueves siguiente fui a su casa llevando una bolsita con una naveta de *«frivolité»*[29] y mientras charlábamos, poniéndonos al día en los últimos acontecimientos de nuestras familias, yo tejía con mi naveta. En algún momento Aurita me confesó que siempre había querido aprender a hacer ese tejido, así que me ofrecí a enseñarle y procedí a regalarle una naveta, que

[29] El frivolité es una clase de tejido consiste en una serie de nuditos que se hacen con una naveta, parecido al tejido con el que se hacen las redes de pescar.

siempre llevo en mi bolsita de tejido porque el frivolité es una de esas artesanías condenadas a desaparecer, así que le enseño a todo el que quiera aprender, y además le regalo una naveta.

Y seguimos encontrándonos todos los jueves para tejer y tomar el algo, y poco a poco se nos unieron Dora, Ester y Cristina al que dimos en llamar «el club de los jueves». Y observando a mis amigas muy pronto entendí en qué forma la vida nos había cambiado, y ya no éramos las muchachas despreocupadas del colegio, ni las esposas, madres o amas de casa de años pasados, nos habíamos convertido en mujeres de mediana edad con mucho tiempo libre, sin muchos afanes económicos, pero con ideas fijas que poco a poco fueron saliendo a flote.

Aurita había sido una persona muy alegre en el colegio, amante de las fiestas pero muy hacendosa, o sea, juiciosa en lo tocante a las labores hogareñas, pero no terminó el colegio porque se casó muy joven con un muchacho que trabajaba en la Caja Agraria. Sin proponérselo expresamente, su matrimonio fue un matrimonio tradicional, el esposo trabajaba y sostenía económicamente la familia, mientras ella velaba por la buena marcha de todo en el hogar. Y lo hizo bien. El problema, que en realidad no fue tal, consistió en que por la división tácita de las labores, Aurita sabía muy poco de las diligencias externas con bancos y cuentas y fue así como, cuando enviudó, tuvo que empezar de cero en cosas tan sencillas como hacer una consignación, pagar servicios, etc. Afortunadamente salió avante de todos los retos que su condición de viuda le fue presentando día a día.

Cuando Dora, ya pensionada, regresó al pueblo se nos unió al «Club de los jueves», y si bien no era muy ducha en labores manuales, estaba muy interesada y fue una alumna excelente. Se trataba de una persona de conversación muy agradable que, al parecer, tenía una relación excelente con su hermana divorciada y con sus sobrinos, dos niñas y dos niños, supongo que había un que otro problema, pero no de tal entidad que la obligara a separarse de su familia.

Alguna tarde, Dora nos contó, medio en serio y medio en broma, la razón por la cual no se había casado a pesar de haber tenido varios novios. Resulta que recién llegada a Bogotá se enamoró de Leonardo, un muchacho de una familia manizaleña de muchos pergaminos y que estudiaba Ingeniería en la Universidad Javeriana. El noviazgo marchaba bien, tanto que ya se habían hecho planes para un matrimonio futuro, cuando un día a eso de las siete de la noche, Dora iba en un bus urbano para la casa y vio una comitiva matrimonial que salía de la Iglesia de San Antonio. Con deseos de ver más de cerca el vestido de la novia, se bajó del bus y casi se desmaya, no al ver el vestido de la novia, sino al novio que no era otro que Leonardo, su novio.

¿Qué había ocurrido?

Una incipiente «pancita» de la novia, le dijo a Dora qué había ocurrido. Y lo más grave ocurrió esa noche cuando Leonardo apareció, muy «caripelado», a hacerle visita. Dora estaba llorando y tan pronto lo vio empezó a golpearlo por todas partes y él, sin necesidad de preguntar, supo que Dora estaba enterada de su matrimonio, así que se dejó golpear y sólo atinó a decir: «Lo siento» y se fue. A partir de ese momento y a pesar de haber tenido varios novios, Dora tomó la decisión de no casarse, y después de varios intentos fallidos de ser madre soltera, se dedicó a trabajar, a viajar y a disfrutar de todas las cosas buenas que la vida quisiera darle. Y efectivamente consideraba que había sido feliz y que, en medio de todo, Leonardo había elegido bien, ya que si quería ser padre, el desencanto hubiera terminado por desestabilizar el matrimonio porque Dora no habría podido darle hijos.

En cuanto a Esther, hablaba muy bien del esposo muerto y por lo que ella decía y lo poco que todas sabíamos de él, así era. En cuanto a cómo había comenzado todo, finalmente nos enteramos de los pormenores del romance. Resulta que tan pronto terminó la primaria en el colegio de la monjas en el pueblo, la familia se radicó en Esmeraldas donde Esther cursó el bachillerato, pero al empezar a estudiar Enfermería y como la situación económica de la familia no era la mejor, tuvo que alternar el estudio con un trabajo de medio tiempo cuidando a una señora enferma, esposa de un ex-magistrado de la Corte Suprema de Justicia. Todo iba muy bien, pero pasó lo que tenía que pasar, Esther y Arturo Salazar Dominguez, el esposo de la señora enferma, resultaron enamorados y aunque ambos fueron muy discretos, en la casa de ella se enteraron y se opusieron al romance, porque él no sólo era casado, sino muy mayor, ya que era 25 años mayor que Esther.

Afortunadamente la esposa no se enteró de nada y murió en paz. Y Esther y Arturo, pasados unos 6 meses de lucha con la familia de ella y los hijos de él, contrajeron matrimonio. Ante la incomodidad de parientes y amigos, Esther dejó la universidad y pasó los siguientes cinco años con su esposo viajando por todo el mundo y disfrutando de las mil cosas buenas que el dinero puede dar. A la muerte de Arturo, Esther quedó gozando de la magnífica pensión del esposo. Es decir, que Esther podia vivir bien y sin afanes económicos.

Cristina por su parte nunca hizo comentarios especiales acerca de su matrimonio, pero antes del nacimiento del club, en las pocas oportunidades en que nos encontramos en Esmeraldas, ella me hizo confidencias buscando consejo para sobrellevar un mal matrimonio. Resulta que apenas terminado el bachillerato en Esmeraldas contrajo matrimonio con Guillermo Sánchez, un muchacho muy bien parecido y de muy buena familia que trabajaba en las oficinas de la Asamblea Departamental. Pero las cosas no marcharon del todo bien en la intimidad del matrimonio porque el esposo, según me confió Cristina «... sólo la usaba por detrás...», y es que por esas épocas no se hablaba de hacer el amor, ni siquiera de tener relaciones sexuales, ni se cuestionaba lo que un marido hacía con el cuerpo de su esposa. En esas condiciones Cristina no podía quedar en embarazo y ella, como todas las mujeres por esas calendas, ansiaba ser madre, o más que ansiarlo, pensaba que era lo que la familia y la sociedad esperaban de ella.

Cristina era virgen cuando se casó y absolutamente ignorante en cuestiones sexuales porque de eso no se hablaba, ni en la casa, ni en el colegio, pero aun así, ella se imaginaba que algo no marchaba bien y tales relaciones no eran satisfactorias, así que alguna vez se quejó con su suegra y ésta muy molesta le dijo:

—Mentirosa, usted está calumniando a mi hijo, mi hijo no es homosexual. Pero Cristina sólo oyó conscientemente la parte «*... usted está calumniando a mi hijo...*».

Entonces Cristina recurrió al médico de la familia que ¡era un primo del esposo! Éste la oyó y le explicó que había algunos hombres que necesitaban ese tipo de relación para poderse excitar, pero que en todo caso la relación debía terminarse vaginalmente, para poder quedar en embarazo, y le aconsejó que en tales casos ¡emborrachara al esposo!. Y así mi amiga fue madre en tres oportunidades, pero la maternidad no la hizo plenamente feliz porque intuía que antes que ser madre, una mujer debe ser plenamente mujer y, en esas condiciones, ella no se sentía una mujer.

Cuando me contó semejante historia me quedé sin saber qué decirle, pero pensando que ella era mi amiga, creí que debería ser brutalmente sincera y así lo hice. Le dije que efectivamente había hombres que necesitaban esos «ejercicios sexuales de calentamiento», que encima de todo, esa clase de «ejercicios» gozaba de la bendición de la Iglesia Católica, según había leído en un libro de Moral Familiar. Por supuesto que el tal libro no decía nada de la satisfacción sexual de la esposa, así que yo creía que ella sólo podía aceptar ese tipo de relación si era satisfactoria para ella. Pero no me atreví a aconsejarle una separación porque de por medio había tres hijos, y su situación económica no le permitía enfrentar la vida sin ayuda del esposo, más un proceso de separación de cuerpos, ya que habiéndose casado por lo católico no era práctico aspirar a un proceso de nulidad, que no tenía posibilidades por la sencilla razón de que, según las normas canónicas, en tales procesos se ha de atacar el consentimiento dado en el momento del matrimonio y no algún evento sobreviniente, que sólo permite la separación de cuerpos, o como dicen ellos «de cama y mesa».

Y en cuanto a ser «plenamente mujer» consideré que, si bien ella estaba en todo su derecho, en nuestras sociedades machistas a una mujer se le cobra muy caro el ejercicio de tales derechos, así que le recomendé escuchar con atención *«El amante»* de Sandro de América porque en sus palabras «... *mujer que se separa del legítimo marido por otro que haya elegido para darle sus amores, es causa de mil rumores, de calumnias humillantes aunque siempre, por delante, la tratarán de señora...»*, y tampoco estaría de más releer *«Ana Karenina»* de León Tolstoi.

Como quiera que la «ropa sucia se lava en casa» y, además, «los problemas matrimoniales se deben solucionar entre los esposos» según se nos repetía hasta el cansancio, Cristina continuó viviendo con don Guillermo pero en alcobas separadas y un buen día, enviudó. Afortunadamente para mi amiga, le dejó la casa y la pensión que hacía un par de años había obtenido por haber trabajado más de veinte años con el Departamento. Finalmente, cuando murió su mamá en Arenales, Cristina vendió la casa de Esmeraldas, les repartió el dinero a sus hijos y se fue a vivir al pueblo donde entró a formar parte del Club de los Jueves.

*****

¿Y qué pasó con el Club de los Jueves?

Pues terminó cuando cada una de nosotras, por la edad o los achaques de la vejez, nos fuimos de Arenales a vivir con alguno de los hijos o en algún «ancianato», supongo que mis amigas a rezar y esperar la muerte y yo viajé a Estados Unidos y aquí vivo desde entonces.

Reflexiones acerca de «Lesbianas» y «aquelarres»

Según el Pequeño Larousse Ilustrado (Ed. 2005), una lesbiana es «una mujer homosexual» y un aquelarre es «una reunión nocturna de brujos y brujas».

La palabra «lesbiana» debe su nombre a la isla de Lesbos porque, según la leyenda que ha llegado hasta nosotros, la poeta griega Safo se reunía allí con mujeres y celebraban orgías homosexuales. Me llama poderosamente la atención la manera como esta poeta ha pasado a la historia.

La civilización griega tuvo su mayor florecimiento a partir del siglo VI antes de la Era Cristiana, y Safo es reconocida como poeta gracias a nueve libros de poesía erótica que escribió, y de los cuales es muy poco lo que ha llegado hasta nosotros. La poeta vivió en la isla de Lesbos donde su familia pertenecía al gobierno local, y con ella ocurre algo muy parecido a lo ocurrido con

Celestina, según comenté antes, en mi relato *«Carmen, la bruja de Arenales»*. Algo así pasa con Safo de quien se dice que era lesbiana. La verdad, basada en mis investigaciones es que dicha leyenda negra se basa en la presencia o no de una letra al final de una palabra en el *«Himno en honor de Afrodita»*, único poema de Safo que nos ha llegado más o menos completo gracias a Dionisio de Halicarnaso, escritor del siglo I A.C., ya que de los demás apenas se conocen versos o estrofas sueltas.

Al respecto se lee textualmente en Wikipedia al hablar de Safo:

> *«El contenido de la oda es sencillo, básicamente consiste en un ruego que la escritora le hace a la diosa Afrodita, con el fin de que atraiga hacia ella un amor renegado. Aparentemente, quien se niega a aceptar el amor de Safo es una muchacha, aunque esto no es seguro, pues lo único que indica el sexo de la amada es la ausencia de una letra al final de la sexta estrofa. Algunos filólogos agregan al final de esta estrofa una letra 'ni' (equivalente a la ene del español) y con esto aseguran que el sexo del amor de Safo es indeterminado. Ellos también se basan en que Afrodita es la diosa del amor heterosexual y ella no atiende ruegos de amores homosexuales, como sería el caso si se tratara de una muchacha.»*

Leyendo en Wikipedia el Himno, aunque sea en español, se tiene una idea de su contenido y no se ve, claramente, la referencia homosexual que dicen:

«Oh, tú en cien tronos Afrodita reina, hija de Zeus, inmortal, dolosa: No me acongojes con pesar y sexo. ¡Ruégote, Cipria! Antes acude como en otros días, mi voz oyendo y mi encendido ruego; por mí dejaste la del padre Zeus alta morada. El áureo carro que veloces llevan lindos gorriones, sacudiendo el ala, al negro suelo, desde el éter puro raudo baja. Y tú ¡Oh, dichosa! En tu inmortal semblante te sonreías: ¿Para qué me llamas? ¿Cuál es tu anhelo? ¿Qué padeces hora? —me preguntabas— ¿Arde de nuevo el corazón inquieto? ¿A quién pretendes enredar en suave lazo de amores? ¿Quién tu red evita, mísera Safo? Que si te huye, tornará a tus brazos, y más propicio ofreceráte dones, y cuando esquives el ardiente beso, querrá besarte. Ven, pues, ¡Oh diosa! Y mis anhelos cumple, liberta el alma de su dura pena; cual protectora, en la batalla lidia siempre a mi lado.»

*A*l respecto se pueden decir varias cosas:

Primero. Safo además de poeta, tenía una escuela vocacional para preparar las jovencitas que iban a contraer matrimonio. No se sabe mucho acerca de las preferencias sexuales de las alumnas, pero probablemente eran heterosexuales ya que iban allí a prepararse para las labores de esposas, madres y amas de casa.

Segundo. Tampoco hay seguridad de las preferencias sexuales de Safo, pero si era maestra de jovencitas que se preparaban para el matrimonio, no creo que los padres de dichas jovencitas y los futuros esposos buscaran, precisamente, a una mujer homosexual para prepararlas.

Tercero. Safo misma era una mujer casada y, según cuenta la historia, tuvo una hija de nombre Cleis.

Cuarto. La poesía de Safo ha llegado hasta nosotros por referencias de otros autores, lo único escrito por ella que en realidad se conoce es el *«Himno en honor de Afrodita»*, patrona no de amores homosexuales sino heterosexuales y, conociendo el respeto de los antiguos griegos por sus dioses y su religión, no me cabe en la cabeza que una mujer se hubiera atrevido a pedirle a esa diosa en especial, ayuda en amores homosexuales. Si eso hubiera ocurrido, lo más seguro es que le hubieran aplicado la pena de muerte como ocurrió con Sócrates.

Quinto. Ovidio, poeta latino, señala a Safo como autora de una carta de amor a un **hombre**, amor que no fue correspondido.

*****

¿Y qué es un aquelarre?

Un aquelarre o Sabbat es una reunión de brujos y brujas alrededor del demonio reencarnado en un macho cabrío, tal como se ve en el cuadro *«El Aquelarre»* del pintor español, don Francisco de Goya.

Desde fines de la Edad Media y hasta el siglo XVIII, la Iglesia Católica quemó, acusándolas de brujas, a una cantidad indeterminada de mujeres. Difícil saber exactamente cuántas. Según documentos conocidos se habla de 60.000, pero los historiadores afirman que hubo de 2 a 5 millones de mujeres condenadas, algunas con juicio, otras sin juicio previo. Tal persecución está asociada a las de los judíos, de ahí el nombre «sabbat» y, también, a los ritos paganos que ya condenaban los romanos desde la Ley de las XII Tablas.

Pero, ¿de verdad se trataba de brujas?

Depende lo que se entienda por bruja. Sería bueno releer el *«Malleus Maleficarum»* —llamado también *«El martillo de las brujas»*—y ver las copias existentes de los procesos seguidos a las brujas, para saber si cumplían las señales que debían presentar las brujas según la Bula Papal. Se dice en tales procesos que brujos y brujas se reunían los viernes al caer la noche, tal como los judíos hacían con su Sabbat, de ahí la analogía, reuniones que se celebraban en sitios descampados cerca de los pueblos. Como preparación, los invitados se untaban, en los genitales, ungüentos que los drogaban y tenían la sensación de volar. Concretamente las brujas usaban los ungüentos por vía vaginal introduciéndose un palo, lo que dio origen al cuento de que volaban montadas en una escoba.

Analizando un poco tales juicios, y sobre todo la manera como se conseguían las pruebas, se concluye que los jueces eran maníacos sexuales y, tal vez, es verdad lo que alguna vez leí y es que se perseguía, por brujas, a las parteras y otras trabajadoras para sacarlas del negocio y que fueran los hombres quienes desempeñaran tales trabajos. Lo más triste es que con el Renacimiento y el advenimiento de la era científica no terminó la persecución y quema de brujas. En muchos países de África, según he oído en noticieros de televisión, todavía se mata a personas, inclusive niños y niñas, con el argumento de que se trata de brujos y brujas. Y es más, hace unos años escuché que en Miami, Estados Unidos, una mujer-policía perdió su trabajo porque era «bruja» y le estaba haciendo «brujerías» al jefe.

Relato No.9

Un asesinato sin importancia

Conocí a Victoria Eugenia Moreno Rodríguez en 1961, cuando iniciaba quinto de bachillerato en el colegio de las monjas de Arenales. Victoria era hija de doña Ester Rodríguez viuda de Moreno y tenía dos hermanas mayores, Cecilia y Elena, ambas casadas pero que vivían con sus esposos en la casa materna, una casa de medio balcón en la calle del Viacrucis.

Victoria era una niña inteligente, muy hermosa y alegre, además estudiosa y amante de las obras manuales. Precisamente viéndola aprendí a tejer «frivolité». Con el tiempo supe que tanto ella como la mamá y, a ratos, las dos hermanas mayores eran modistas, buenas, pero careras. Y digo «a ratos» porque Cecilia se dedicaba a pintar tarjetas, muy bonitas, que vendía en Esmeraldas y Elena trabajaba como secretaria en el «*Diario de Esmeraldas*» y tenía que viajar diariamente.

Cuando estaba estudiando, y aun hoy, cuando conozco a alguien que me llama la atención por alguna circunstancia especial, siempre me pregunto a qué signo astrológico pertenecerá. Eso me ocurrió con Victoria y tan pronto logré saber sus datos de nacimiento, levanté su carta natal y me llamaron la atención varias cosas pero, por supuesto, nunca le comenté nada porque si bien éramos compañeras, nunca fuimos amigas y estudiando en un colegio de monjas, tampoco hablé de nada que se pareciera a «brujería», toda vez que corría el riesgo de que «me quemaran viva».

Victoria era Acuario, ascendente en Leo, descendente en Acuario, medio cielo en Tauro y fondo del cielo en Escorpión, la mayor parte de los astros aparecía en la mitad superior con preponderancia del cuarto cuadrante. Todo ello hacía que mi compañera fuera una persona extrovertida pero individualista, amante de las cosas raras, nada convencional, que gustaba desafiar todo lo tradicional, tal vez insatisfecha con su vida hogareña. Pero lo que más me llamó la atención fue la abundancia de cuadraturas y oposiciones que son aspectos malos, aunque eso de «aspectos malos» es muy relativo porque si abundan los trígonos y los sextiles, que son aspectos buenos, la persona no tiene retos en la vida y por ende no tendrá mayores triunfos, mientras que si debe vencer los obstáculos de los aspectos malos será más exitosa. Tampoco me gustó la casa 7 de la pareja porque su cúspide estaba en Acuario en conjunción con Venus, y en ella, Mercurio y la Luna Negra, todo lo cual hablaba de relaciones no tradicionales y más bien al margen de la sociedad.

Ese año, 1961, transcurrió «normalmente», así entre comillas, porque desde el célebre «Bogotazo», en 1948, durante el cual fue asesinado Jorge Eliécer Gaitán, candidato presidencial, la situación de orden público en Colombia era tensa. Entre 1948 y 1958 transcurrió el período que se conoce como la «Violencia» porque diariamente oíamos de matanzas de campesinos. Luego, en 1953, ocurrió el golpe de estado de Gustavo Rojas Pinilla y se generalizó el caos nacional que apenas terminó con la caída del dictador y la instauración del llamado Frente Nacional. Todavía recuerdo con horror y tristeza la matanza de estudiantes de la Universidad Nacional a manos del ejército. El Frente Nacional que fue un pacto de co-gobierno se inició en 1958 con la presidencia de Alberto Lleras Camargo. De esa época recuerdo que hubo un recrudecimiento de la violencia partidista que afectó principalmente el campo colombiano y se hizo célebre un guerrillero apodado «Tirofijo», fundador de las FARC.

Cursamos el sexto de bachillerato en 1962, y fue durante ese año cuando me enteré, atando cabos y juntando chismes oídos aquí y allá, de la situación que se vivía en la casa de Victoria. Doña Ester estaba enferma, pero no se sabía con seguridad la enfermedad que la aquejaba, entre otras cosas porque la familia no disponía de dinero suficiente para que la señora acudiera a un buen médico porque las entradas provenían únicamente del trabajo de modista de doña Ester, la venta de las tarjetas que hacía Cecilia y el trabajo de secretaria de Elena en Esmeraldas, ya que los maridos de las dos hermanas eran «vagos» que no trabajaban.

Terminado el bachillerato, Victoria no pudo ir a la Universidad y se dedicó a cuidar a la mamá y al trabajo de modistería. Cecilia era mártir de los celos del marido. Cada vez que iba a Esmeraldas a entregar las tarjetas a los almacenes que las vendían, invariablemente, había un problema. Y con Elena los problemas eran de todos los días porque como ella trabajaba en Esmeraldas y debía viajar diariamente, el marido siempre la acompañaba a tomar un «jeep» en la mañana, y estaba pendiente en la tarde para comprobar que regresaba sola y a tiempo. Si alguna vez perdía el «jeep» que pasaba cerca de las oficinas del *«Diario de Esmeraldas»*, más le valía a la pobre muchacha «no haber nacido» porque el problema hogareño era monumental.

Por supuesto que de la situación que se vivía en la casa de mi compañera nada trascendía, tanto doña Ester como sus hijas aparentaban que la vida marchaba con normalidad y nadie era testigo de los problemas familiares, porque «la ropa sucia se lava en casa». Claro que con el tiempo algunas personas muy observadoras o «chismosas» que llaman, empezaron a hablar de la tristeza que se notaba tanto en Cecilia como en Elena por encima del maquillaje y la ropa bonita, de la vagancia consuetudinaria de los maridos y de la mala salud de doña Ester.

Como tampoco yo pude ir a la Universidad, empecé a trabajar en lo que resultara porque en un pueblo tan pequeño como Arenales las posibilidades laborales eran y siguen siendo escasas, por eso mi primer trabajo fue como

Citadora en la Inspección de Policía. Unos años después y gracias a mi amistad con Leonor Marín Álvarez, la hija mayor de doña Julia, la señora de la casa de las veraneras, empecé a trabajar como Citadora en el Juzgado Promiscuo Municipal de Arenales. El trabajo era duro y el salario poco, pero completaba las entradas de la casa de los abuelitos. Puedo decir que nunca nos faltó nada, y podíamos darnos «gusticos» de vez en cuando como pasear, ir a cine, o a comer en Esmeraldas.

Cuando trabajaba como citadora en el Juzgado, tuve que llevar un oficio a una casa en Esmeraldas. Por supuesto que lo normal era enviar el oficio por correo, pero el dichoso oficio se había traspapelado en secretaría y ya no había tiempo para enviarlo por correo, entonces yo me ofrecí a llevarlo personalmente porque quería aprovechar para hacer unas compras. Así que fui a Esmeraldas y cuando llegué a entregar el oficio, me di cuenta que la casa estaba enseguida de un local que, según había oído en el juzgado, era una «casa de citas», muy discreta, a donde acostumbraba ir el secretario del juzgado. Hice la diligencia lo más rápido que pude y cuando ya me iba, alcancé a ver a Elena, la hermana de Victoria, que salía de tal sitio con un señor que reconocí como el director del *«Diario de Esmeraldas»*. Procuré que ella no me viera porque no quería incomodarla, pero pensé que si yo la había visto, era cuestión de tiempo que el marido se enterara del asunto.

Unos seis meses después, el horror visitó la casa de Victoria. Según se dijo, un hombre armado y enmascarado, al parecer un sicario, había entrado a las oficinas del periódico y había disparado indiscriminadamente matando a Elena e hiriendo al director. Se hizo la investigación correspondiente pero no se logró dar con el asesino, finalmente sólo había muerto una secretaria, mientras el director del periódico apenas había sido herido y se recuperó al poco tiempo.

El tiempo pasó, y nadie volvió a hablar de la muerte de Elena. En realidad, nadie no, porque si bien nada dije, sí observé con cuidado todo lo que ocurrió en la casa de mi compañera, y cuando vi al esposo de Elena en el sepelio y su posterior desaparición del pueblo, no me quedaron dudas, a Elena la había matado el esposo. Y si me quedara alguna duda, al observar la manera como doña Ester y sus hijas lo trataron, en el sepelio, la duda desapareció. Y muchos años después le oí comentar a un periodista de Cali, que había trabajado en Esmeraldas por esa época que, efectivamente, el asesino de Elena había sido el esposo.

¿Por qué la familia guardó silencio y permitió que un asesino quedara sin castigo?

Me imagino que denunciar al asesino, implicaba hablar de la conducta sexual de Elena y ni doña Ester, ni Cecilia, ni Victoria estaban dispuestas a hacerlo, así que el esposo-asesino quedó libre y una vez más, la vida de una mujer resultó menos valiosa que un prejuicio social.

Con el tiempo el asesinato de Elena dejó de ser noticia porque otros hechos vinieron a sumarse a la situación de la familia. A Cecilia la abandonó el esposo cuando ya habían tenido dos hijos y entonces ella y sus hijos continuaron viviendo en la casa materna. La salud de doña Ester empeoró y finalmente la diagnosticaron con leucemia muy avanzada, pero cuando ello ocurrió, la señora ya no tuvo salvación, y murió querida, cuidada y mimada por las dos hijas que hasta el final estuvieron a su lado.

Después de la muerte de doña Ester, Cecilia y Victoria vendieron la casa y se fueron de Arenales. Cecilia se fue a vivir en Esmeraldas, sus hijos lograron terminar carrera y emigraron a Estados Unidos. Finalmente, Cecilia también viajó a los Estados Unidos y se dedicó a pintar cuadros y parece que no lo hacía mal.

Por su parte Victoria también se fue a vivir a Esmeraldas como la «novia» de un señor casado que posteriormente enviudó, pero que en lugar de casarse con ella, le llevó varios hijos pequeños que le habían quedado del matrimonio, y mi compañera fue la mejor madre y estuvo pendiente de ellos, aún después de la muerte de su compañero sentimental y hasta cuando terminaron la Universidad.

Al enviudar, el esposo de Elena pensó que estaba lejos de tener problemas, pues la familia de su esposa había decidido callar y no alargar la investigación por la muerte de su hija y simplemente dejar que las cosas siguieran su camino. Pero la presión del pueblo hizo lo que no había hecho la justicia. Trató varias veces de empezar una relación con alguna niña del pueblo, pero siempre terminaba mal, pues él era un vago y ninguno de sus amoríos aguantó tal situación. Frente a esto fue imposible para él continuar viviendo en el pueblo. Entre corrillos y chismes, su vida en Arenales terminó siendo un infierno, a pesar que a él nada le había importado en el pasado.

Se fue del pueblo un día al amanecer y nadie volvió a saber de él. Terminó yéndose para Estados Unidos como la mayoría de la gente del pueblo, pensando que emigrar era la solución y que la vida en Estados Unidos iba a ser muy fácil. ¡Qué equivocado estaba!. Pero su vida fue más amarga de lo que había imaginado. Terminó casándose con una señora mayor que tenía problemas mentales y ella logró lo que no había logrado la justicia colombiana. La señora lo puso a marchar, a trabajar hasta el amanecer y a pagar el ciento por ciento de todo lo que se necesitaba en la casa. Así que trabajaba más de 12 horas al día y cuando llegaba por la noche a la casa de su esposa tenía que luchar con la salud mental de ella. A veces, la vida cobra…

Reflexiones acerca del Uxoricidio

La palabra «uxoricidio» viene del latín y significa, textualmente, «matar a la esposa». Se trata de una modalidad de asesinato «de menor importancia», en el sentir social y jurídico de muchos países.

Parece ser que en los últimos años han aumentado los uxoricidios en el mundo, y muchos sociólogos atribuyen la causa de su incremento a la mentalidad excesivamente tradicionalista de algunos hombres, y a la emancipación y aumento de las libertades femeninas, sobre todo a partir de la segunda guerra mundial. La verdad es que si se observan las estadísticas, el número de uxoricidios en el mundo no ha aumentado. Dicha percepción obedece a que se le ha dado mayor importancia en los diferentes medios de comunicación, pero sigue siendo la principal causa de mortalidad de las mujeres entre los 15 y los 44 años en todo el mundo.

Los uxoricidas siempre encuentran razones válidas para matar a la esposa, desde problemas en relación con la «dote»[30] en algunos países como la India, hasta el adulterio de la esposa, real o ficticio, eso no importa, como en el caso del asesinato en la ficción de Desdémona por Otelo en la tragedia de Shakespeare.

¿Qué dicen del uxoricidio las leyes penales colombianas?

En el relato que titulé *«Cuentos de horror»* y en las reflexiones posteriores, hablé del machismo de las leyes colombianas en el tratamiento del adulterio, y de las oportunidades laborales para las mujeres. Pero en relación con el uxoricidio, la situación es peor, tanto en el tratamiento jurídico, como en la aplicación de las leyes por parte de las autoridades.

En el siglo XIX, después de las guerras de independencia, Colombia pasó por diferentes formas de gobierno y tuvo ensayos jurídicos que reflejaban los movimientos que se estaban dando en Europa, para tratar de plasmar el pensamiento de la Ilustración en el gobierno de los países de Europa y de América. Fue así como Colombia tuvo varios Códigos Penales durante el siglo XIX, el último fue el de 1890 que rigió hasta 1936, cuando fue sustituido por otro que rigió hasta 1980, año en el cual hubo otro cambio de código y el nuevo que estuvo vigente hasta el año 2000 es el que, con algunas reformas, rige actualmente.

Es interesante mirar, así sea de pasada, la consagración del tipo penal **uxoricidio** para ver el

---

[30] Es el conjunto de bienes y dinero que la mujer debía aportar al matrimonio, es una costumbre que todavía hoy subsiste en algunos países.

valor que, en cada momento de la historia independiente de Colombia, se le dio a la vida de las mujeres. Limitándonos a los Códigos Penales que rigieron durante el siglo XX, tenemos que el primer código penal que se aplicó en dicho siglo, el de 1890 que estuvo vigente hasta 1936, consagró el homicidio como delito y habló del homicidio voluntario, del homicidio involuntario y señaló los casos en los cuales el homicidio toma el nombre de asesinato, tipos penales para los cuales se señalaban penas que iban de un año de prisión hasta la pena de muerte.

Pero lo interesante del asunto no era la consagración del tipo penal, ni su pena, sino los casos en los cuales matar a otra persona no constituía delito y por ende no acarreaba pena alguna. Es así como el homicidio es **inculpable absolutamente** cuando se comete en once casos tales como la legítima defensa no sólo de la vida sino de la libertad, propia o ajena, la fuga de reos de asesinato, entre otros, pero llama la atención el numeral noveno que exculpaba el homicidio de la esposa o de la hija, **que viva a su lado honradamente...**

«... a quien sorprenda en acto carnal con un hombre que no sea su marido; o el que cometa con la persona del hombre que encuentre yaciendo con una de las referidas; y lo mismo se hará en el caso de que los sorprenda, no en el acto carnal, pero sí en otro deshonesto, aproximado o preparatorio de aquel, de modo que no pueda dudar del trato ilícito que entre ellos existe.» [31]

[31] Numeral 9º del artículo 591 del Código Penal de 1890.

Sobra cualquier comentario porque la norma le está dando la bendición a quien le quite la vida a la esposa o a la hija, bendición que no existía para el padre que le quitara la vida al hijo varón o para la esposa que matara al esposo adúltero[32]. Artículo «macabro» por decir lo menos, que se repite íntegramente en el Código Penal de 1936 que estuvo vigente hasta 1980.

Finalmente el Código Penal actual —Ley 599 del año 2000— borró del ordenamiento jurídico colombiano todas esas injusticias explicitas: empezó cambiando la definición de homicidio, hoy por hoy, no comete homicidio *«el que con el propósito de matar ocasione la muerte a otro...»* como decía el Código de 1936, sino simplemente *«el que matare a otro»*, pero siempre deja la puerta abierta para que el uxoricidio tenga una pena irrisoria, no compatible con el valor de una vida humana, ya que establece como circunstancias atenuantes del delito y de la pena consiguiente, la carencia de antecedentes penales personales, el obrar por motivos nobles o altruistas y el obrar en estado de emoción o pasión excusable y en el, «mil veces bendecido», caso de ira e intenso dolor causado por comportamiento ajeno grave e injustificado. Circunstancias todas que abren el camino de la impunidad a los uxoricidas porque está demostrado estadísticamente que quien mata a la esposa, no había matado antes y los motivos nobles, el estado de emoción, pasión excusable, ira e intenso dolor no se aplican en caso de un homicidio cualquiera, sino, en la mayoría de los casos, al uxoricidio.

---

[32] Recuérdese que el adulterio era un delito femenino ya que el adulterio del marido no existía, tipificado como delito.

Tratando de hacer justicia a las mujeres colombianas, la Ley 1761 de 2015 estableció en su artículo 2o. el **feminicidio** como un tipo especial de homicidio para el cual estableció una pena de 250 a 500 meses de prisión y en el artículo 3o. una serie de circunstancias de agravación punitiva en cuyo caso la pena será de 500 a 600 meses de prisión, artículos que forman parte del Código Penal actual.

Para terminar esta reflexión es bueno preguntarnos no sólo ¿qué dicen las leyes penales colombianas en relación con el uxoricidio, sino cómo se cumplen dichas leyes? Y para responder tal pregunta, se me ocurre recordar la conversación de Simón Bolívar con el General Montilla en relación con la muerte no de una esposa, sino del «otro», tal como lo dijo Gabriel García Márquez en su obra *«El General en su laberinto»* [33], para mostrar cómo, en tales casos, actúan las autoridades. Preocupado Bolívar porque un conocido está en la cárcel por haber matado al amante de la esposa, le pregunta a Montilla qué se puede hacer y éste responde:

—Él debe pedir que lo trasladen para acá por razones de salud. Una vez que esté aquí manejamos el indulto.

—¿Eso se puede? —preguntó el General.

—No se puede, —dijo Montilla—, pero se hace.

—De acuerdo, —dijo el general—. Pero yo no sé nada.

---

[33] «El general en su laberinto» García Márquez, Gabriel. Editorial Vintage Español, Nueva York, octubre de 2013, pag.166.

Lo cual no era ninguna novedad, ya decían las autoridades de España en Colombia que las leyes «se acatan, pero no se cumplen». Esto ocurría en 1830, con los llamados homicidios «por honor», que es el eufemismo para pasar por alto tal clase de homicidio o asesinato. Una escena magnífica de la obra literaria de nuestro Nobel de Literatura, muy acorde con el pensamiento del momento.

Por la misma época en Europa se pensaba y se actuaba en la misma forma, por ejemplo en la Francia de Honorato de Balzac, según se lee en su obra *«El contrato de matrimonio»* [34], ante el adulterio de una esposa, un amigo le aconseja al marido ofendido retar a duelo al rival porque *«En Francia, el marido ofendido que mata a su rival, es un hombre respetable y respetado; nadie se burla de él»*

[34] Tomo II de *«La Comedia Humana»* Editorial Intercontinental, México, 1951. Pag.521

Tres novelas que no son ejemplares. (Próximamente)

A pesar de ser domingo, ese 10 de diciembre de 1978, Carmen, la bruja de Arenales, se despertó antes de las cinco de la mañana con una sensación de angustia. Saltó de la cama, procurando no hacer ruido para no despertar a doña Amparo, su mamá, que dormía en la habitación de al lado, prendió la luz y, más por curiosidad que por convencimiento, abrió su libro de efemérides astrológicas y encontró que ese día el Sol, Mercurio, Marte y Neptuno andaban por Sagitario, la luna por Aries y Júpiter por Leo, es decir que había seis planetas del sistema solar andando por signos de fuego y además Mercurio y Júpiter estaban retrógrados.

No le gustó comprobar que ese día de los seis planetas en signos de fuego, cuatro transitaban por su casa 11 de los amigos y de las comunidades en general. Eso podía significar muchas cosas desde fuerza y dinamismo en proyectos sociales hasta violencia que podía impactar a algún grupo de personas que tenían que ver con ella, pero le tranquilizó saber que cualquier dictamen astrológico tiene un margen de acierto del 10% y que hoy lo más parecido a una comunidad en lo cual estaría involucrada era un festival que se celebraría en la vereda «Tres esquinas», camino de Esmeraldas, pero se trataba de una de esas celebraciones medio religiosas, medio pueblerinas, en las cuales nunca pasaba nada digno de mención, así que se tranquilizó.

¡Qué bueno que uno pudiera saber lo que le depara el futuro! Porque si eso fuera así, Carmen habría podido prepararse para lo que ocurrió ese día «camino de Esmeraldas» porque fue un hecho que partió en dos la vida de mucha gente, y que a ella misma la hizo tomar una de las decisiones más importantes de su vida. Y otro tanto ocurrió con su amiga Leonor, quien resultó involucrada en tal hecho, hecho que marcó un nuevo comienzo en su vida profesional.

Carmen siempre quiso estudiar Derecho, pero las circunstancias no fueron favorables y, simplemente, dejó pasar el tiempo. Fue necesario que ocurriera aquel «hecho» camino de Esmeraldas para que decidiera ingresar a la Universidad. Y, en cuanto a su amiga Leonor, la consecuencia fue más inmediata porque una vez finalizado el proceso surgido como consecuencia de lo ocurrido camino de Esmeraldas, tomó la decisión de cambiar drásticamente de trabajo y terminó en un pueblo de los llanos orientales, muy lejos de Esmeraldas, de Arenales y de todo lo ocurrido ese día, camino de Esmeraldas.

¿Quiénes son las autoras?

Amanda P. Uribe y Gloria Martínez, viven actualmente en Estados Unidos, emigraron a comienzos del siglo 21 después de vivir por muchos años en su natal Colombia. Gloria como Contadora y Amanda como Ingeniera Industrial alternan su vida de trabajo con la lectura y la escritura y lo más importante viviendo al lado de su madre, quien hoy es el eje central de su pequeña familia.

www.gamartinez.com

Síganos en Facebook, visiten nuestra página de internet y agradecemos sus comentarios.

Otros libros:
Érase una vez un hombre enamorado
(Como vivir enamorado durante más de 50 años)

Tres novelas que no son ejemplares.
(Próximamente)

Made in the USA
Columbia, SC
11 March 2021